Sacha Workman
New Zealand
1991 ~2

Zu diesem Buch

«Brigitte Schwaiger ist ein sensibles Geschöpf, und hinter ihrem Bericht vom zwangsläufigen Scheitern einer Ehe, hinter ihrer Schilderung einer in Klischees und Phrasen erstarrten Umwelt steckt ein verzweifeltes Bedürfnis nach echten Regungen, nach Gefühl, nach Wärme, nach Liebe – ein Bedürfnis, das sich als desto unerfüllbarer erweist, je gnadenloser die Erfüllung konsumgesellschaftlicher Scheinbedürfnisse ihrer Romanheldin aufgedrängt wird. Niemand, am allerwenigsten ihr Ehemann, versteht sie, niemand kann sich ihre abweisende Verschlossenheit erklären, ihre Aufsässigkeit, ihre Undankbarkeit. Wo sie doch alles hat, was man sich nur wünschen kann! Ihr Pech ist, daß sie sich das alles nicht wünscht. Gibt es keinen Ausweg aus dieser Trostlosigkeit, keinen Ausbruch? Es gibt ihn nicht. Es gibt nur die Wahrnehmung dessen, was die anderen nicht wahrhaben wollen. Unmittelbar nachdem die traurige Heldin sich darüber klargeworden ist, daß ihre Ehe nichts taugt, vermerkt sie: ‹Mutter ist froh, daß ich eine gute Ehe führe.› … Aber da kommt noch etwas hinzu (und ich muß gestehen, daß es mich ganz besonders fasziniert): ein trockener, alles eher als harmloser Humor, der unter dem Deckmantel einer geradezu infamen Scheinheiligkeit um so spritziger zusticht… Wahrscheinlich liegt in ihrer erstaunlichen Fähigkeit, Charaktere und Konflikte vom Sprachlichen her zu erfassen und zu präzisieren, Brigitte Schwaigers spezifische Stärke. Sie hat, ungleich Luthern, nicht dem Volk aufs Maul geschaut, sondern dem Mittelstand auf den Mund, und was dabei herauskommt, ist auf amüsante Weise vernichtend, ist sozialkritischer als absichtsvolle Sozialkritik jemals sein könnte, und bezeugt einen produktiven Scharfblick, der zu den schönsten Hoffnungen auf allerlei Häßliches berechtigt.» (Friedrich Torberg in der «Süddeutschen Zeitung»)

Brigitte Schwaiger, geboren am 6. April 1949 in Freistadt/Oberösterreich als Tochter eines Medizinalrats, unterrichtete nach ihrem Studium Deutsch und Englisch in Spanien, malte und bildhauerte nebenher, kam dann über die Pädagogische Akademie zum Theater und zuletzt zum Schreiben. Ihr vorliegender Erstlingsroman wurde zu einem sensationellen Erfolg und bereits in mehrere Sprachen übersetzt. Ferner erschienen von Brigitte Schwaiger: «Mein spanisches Dorf» (rororo Nr. 4657), «Lange Abwesenheit» (rororo Nr. 4950), «Der Himmel ist süß» (rororo Nr. 5749), (zusammen mit Eva Deutsch) «Die Galizianerin» (rororo Nr. 5461) und (zusammen mit Arnulf Rainer) «Malstunde» (rororo Nr. 5361). Brigitte Schwaiger lebt in Wien.

Brigitte Schwaiger

Wie kommt
das Salz ins Meer

Roman

Rowohlt

429.–440. Tausend Dezember 1990

Veröffentlicht im Rowohlt Taschenbuch Verlag GmbH,
Reinbek bei Hamburg, März 1979
Copyright © 1977 by Paul Zsolnay Verlag Gesellschaft m. b. H.,
Wien/Hamburg
Umschlagentwurf Werner Rebhuhn
(Fotos der Autorin: Zsolnay-Archiv und Karl Kofler)
Satz Garamond (Linotron 202)
Gesamtherstellung Clausen & Bosse, Leck
Printed in Germany
780-ISBN 3 499 14324 0

«Das ist es, ganz richtig! Erholen! Das ist der tiefere Sinn! Zum Erholen sind sie da. Drum bin ich auch gegen die sogenannten interessanten Weiber. Die Weiber haben nicht interessant zu sein, sondern angenehm.»

Arthur Schnitzler, Liebelei

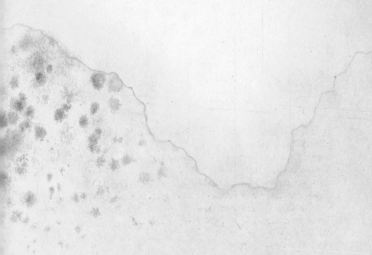

— uhmmm

x ~~extent~~ Every of putting s!c
how many Every useful work

mmm n " ... " = interesting / to be received

! = hmmm.

Gutbürgerlich, vor dem Spiegel im Schlafzimmer meiner Eltern, gutbürgerlich, das ist das wichtigste. Großmutter sagt es mit Nachdruck. Die einfache Formel, in der alles aufgeht, Trost und Beruhigung, wenn sie es ausspricht: gutbürgerlich. Ein Reißverschluß klemmt. Es ist heiß, man müßte ein Fenster öffnen, die verbrauchte Luft. Mutter zwängt sich ins Kleid. Der Stoff hat sich im Reißverschluß verfangen. Immer dieser Fetzen, sagt Vater. Das ist kein Fetzen, sagt Großmutter, das ist ein guter Stoff. Sie reibt den Saum zwischen den Fingern. Wieso immer, fragt Mutter. Sie hat dieses Kleid erst einmal getragen, bei Großvaters Begräbnis. Es ist elegant, sagt Großmutter. Vater wird ungeduldig. Seit einer Stunde ist er fertig, war gestern beim Friseur, um sich den Nacken ausrasieren zu lassen. Schwarzer Anzug, weißes Stecktuch, grauer Hut. Kann ich so gehen, fragt Großmutter. Ja, geh nur, geh, wer sieht dich denn, auf dich schaut doch keiner, du bist alt, natürlich kannst du so gehen, außerdem läßt du dir ohnehin nichts sagen. Die Pelzmütze hast du wieder viel zu tief im Gesicht. Schaust aus wie eine russische Bäuerin. Ja, du kannst ohne weiteres so gehen, sagt Vater. Mutters Reißverschluß ist endlich zu. Sie tupft die kleinen Schweißperlen ab, die sich unter ihren Brauen gebildet haben, dann malt sie die Lippen nach, auf diesen Mund kann sie heute noch stolz sein. Schnell noch die Handtasche polieren. Das Leder muß glänzen. Vater möchte wissen, seit wann Mutter diese Tasche hat. Seit Jahren, sagt sie. Großmutter nickt. Ich kenne diese Tasche nicht, behauptet Vater. Eine elegante Tasche, sagt Großmutter, sie paßt zu den Schuhen, und das ist das wichtigste. Mutter streicht ihre Handschuhe glatt. Sie fragt, ob sie einen Handschuh auf der linken Hand und den rechten lose in der rechten Hand tragen soll. Du wirst dir die Hand abfrieren, warnt Großmutter. Beeilt euch, sagt Vater.

Und sie? Was ist mit ihr? Warum liegst du auf dem Bett? Ist dir schlecht? Plötzlich alle drei Gesichter über mir. Du zerdrückst das Kleid! Zieh die Schuhe an! Nimm den Mantel! Welchen Mantel? Deinen natürlich! Dieser schöne Mantel, sagt Großmutter, so ist es recht, so kann man sich sehen lassen. Ich mache noch ein bißchen Ordnung, sagt Mutter, es liegt so viel herum, laß mich aufräumen. Nein, Vater hat es eilig. Siehst du, jetzt ist dein schönes Kleid zerdrückt! Warum legst du dich auch aufs Bett! Laß dich anschauen! Warum warst du nicht beim Friseur? Die Nervosität, sagt Großmutter, wenn ich zurückdenke! Denk nicht zurück, sagt Vater, knöpf lieber deine Jacke zu. Wenn ich zurückdenke, sagt Großmutter, mein Gott und Herr! Sie schaut ja aus wie eine Leiche! Das Kind ißt zu wenig und raucht zu viel. Jeden Tag den schwarzen Kaffee auf nüchternen Magen! Bitte nimm heute nicht dein Kölnischwasser, sagt Mutter und drückt Großmutter ein Fläschchen in die Hand. Sie werden ja nebeneinander sitzen, und Mutter verträgt Großmutters Siebenundvierzigelf nicht. Ich nehme immer mein Kölnischwasser! Großmutter sagt, daß sie es so gewohnt ist. Außerdem muß sie sparen. Wer sagt, daß du sparen mußt, du bekommst ja jeden Monat genug, ruft Vater. Ich muß an die Zukunft denken, sagt Großmutter. Komm jetzt, sagt Vater, oder hast du es dir überlegt?

Was ist, wenn ich es mir überlegt habe? Wenn wir anrufen und ausrichten lassen, daß wir nicht kommen. Vielleicht irgendwann, später, aber nicht heute. Ich habe es mir überlegt, ich will nicht, weil ich das eigentlich nie wollte, weil ihr mich überlistet habt. Weil ihr gesagt habt: nur eine Formalität. Und jetzt seid ihr aufgeregt, nehmt es ganz wichtig, seid alle gegen mich. Keine Angst, mein Kind, habt ihr gesagt, das ist nur Tradition.

Vater läuft pfeifend die Stiegen hinunter, Mutter und Großmutter haben sich eingehängt und folgen langsam, weil die Alte nicht mehr so schnell kann, wegen der Knie, sie steigt alle Stiegen seitlich hinauf und hinunter, seit sie sich eine Schleimbeutelentzündung geholt hat bei einem Ausflug auf den sizilianischen Vulkan, eine ganze Schachtel Lavabrösel hat sie heimgebracht, und die Knie. Sie haben Taschentücher eingesteckt, für alle Fälle. Auch ins Kino nehmen sie immer Taschentücher mit, weil sie nur in traurige Filme gehen, wo es sich auszahlt. Aus dem Leben gegriffen, sagt die Großmutter. Neben unserem Fernsehapparat liegt immer eine Schachtel mit Zellstoff aus Vaters Ordination. Wenn ein Flugzeugabsturz gemeldet wird, muß Mutter weinen. Und bei Nachrichten aus der Sahelzone oder aus Indien, besonders wenn Fotos gezeigt werden, und bei alten Filmen mit O. W. Fischer und Ruth Leuwerik, und bei Erdbeben. Seit es Papiertaschentücher gibt, kann man zu allen Gelegenheiten ausgiebiger weinen.

Alle vier Türen sind offen, Vater steht neben dem Auto. Warum drängt ihr alle da hinein? Es ist überall offen! Aber hör schon auf, sagt Mutter. Laß uns doch einsteigen, wie wir wollen, sagt Großmutter. Sie soll vorne sitzen. Wer? Du? Oder soll ich mich neben Vater setzen, fragt Mutter. Ruhe, bittet Vater, ich fahre jetzt! Langsam wird es mir zu dumm. Immer streiten, brummt Großmutter, das hab ich gern! Wirklich, es ist zum Verzweifeln, flüstert Mutter. Ruhe, sagt Vater, und du schnall dich an! Paß auf das Kleid auf, sagt Großmutter. Sie gibt nie acht! Sie ist burschikos! So sitzt keine Dame.

Liebster Rolf, sagte ich, ich will nicht mehr! Er tat es mit einer Handbewegung ab. Das ist nur die Angst vorm kalten Wasser. Spring hinein! Ich sagte, daß ich plötzlich mutlos geworden sei. Da kam er mit anderen Wörtern und baute eine fensterlose Mauer. Alles war schließlich vorbereitet. Wir würden uns lächerlich machen. Ich sollte mehr Vertrauen zu ihm haben, das hätte ich doch bisher gehabt. Später würden wir gemeinsam darüber lachen. Du verstehst mich nicht, sagte ich. Wie willst du, daß man dich verstehen soll, wenn du dich selbst nicht verstehst? Wer wirklich frei ist, sagte er, wird sich auch durch äußere Formen nicht beengt fühlen. Wir sind keine Landstreicher, wir sind keine Zigeuner, sagte er. Ich kann es mir beruflich und gesellschaftlich nicht leisten, auf jede deiner Launen einzugehen. Sag nein, ich werde es akzeptieren. Ja oder nein? Wenn du nein sagst, werde ich die Konsequenzen ziehen, aber du weißt: Ich pflege bei dem zu bleiben, was ich mir vornehme.

Ja, das weiß ich. Nach dem ersten Semester an der Technischen Hochschule merkte Rolf, daß Medizin ihn eigentlich mehr interessierte. Aber: Was einmal begonnen ist, muß durchgehalten werden. Wenn ich ihm gestand, daß ich schon wieder etwas Neues inskribiert hatte, tröstete er mich mit Umarmungen. Ich war nichts, aber ihm galt ich viel. Ich taugte nichts. Ihm taugte ich viel. Er sagte: Du bist die einzige Frau, die mich nicht langweilt. Ich wußte nicht, was ich ohne Rolf getan hätte. Das brauchst du nicht zu wissen, sagte er, denn du hast ja mich. Wir lieben uns. Ist das nichts? Was finge er mit einer Frau an, die keinen Ehrgeiz hat? Ich habe genug Ehrgeiz für uns beide. Das stimmte. An einem trüben Dienstag wurde im Festsaal der Hochschule Rolfs Sponsion und Promotion gefeiert. Er lud Freunde ein, sich das anzusehen. Ich tippte die Adressen auf die Kuverts. Wenigstens Maschineschreiben hättest du lernen können, sagte Rolf. Ich fuhr damals allein, weil ich über all das und auch übers Maschineschreiben nachdenken mußte. Rolf fuhr voraus und bat mich, pünktlich zu sein. Heute will ich alles gut machen, ab heute, dachte ich an dem Dienstag ohne Licht, nur mit Ehrgeiz kommt man voran, schwor ich mir. Ich hatte die Mädchen auf der Uni immer bewundert wegen ihrer vom Sitzen und Büffeln ausgebuchteten Röcke, die Ungepflegten, die keine Zeit hatten für Firlefanz.

Im Autobus, der zu Rolfs Ziel führte, blickten die Menschen sehr ernst. Auch der Chauffeur. Eine alte Frau fragte ihn, ob das der richtige Bus sei. Der Chauffeur nickte. Er startete den Motor in dem Bewußtsein, daß es seine Pflicht war, alle Passagiere zur heutigen Sponsion und Promotion zu führen. Er hatte sich geopfert, hatte auf Matura und akademisches Studium verzichtet, um Leute zur Hochschule zu chauffieren. Er ließ mich mitfahren, weil ich eine Fahrkarte besaß. Aber etwas wie Vorwurf las ich in seinen Augen: Sie hatten doch eine Chance, und Sie haben nichts gemacht aus der Chance! Die alte Frau, die ihn gefragt hatte, ob das der Bus zur Hochschule sei, zog einen handgeschriebenen Brief aus der Tasche. Sie faltete ihn auseinander und las.

Der Neffe teilte gewiß mit, daß er heute um elf promoviert würde. Oder vielleicht war es der Enkel. Oder nur der Student, der in einem ihrer leerstehenden Zimmer gewohnt hatte und sich an die Zimmerfrau erinnert und sie eingeladen hatte. Neben der alten Frau saß eine junge Lehrerin. Das sah ich gleich, daß die Blonde Lehrerin war. Die Frau fragte die Lehrerin, ob man beim Betreten des Festsaales der Hochschule die Einladung vorzeigen müsse. Die Lehrerin schüttelte lächelnd den Kopf. Die Frau vertiefte sich wieder in den Brief. Wahrscheinlich konnte sie es noch immer nicht fassen, daß der Junge es wirklich geschafft hatte. Und daß er sich an sie erinnerte ... Sie fragte, wie viele Stationen es noch seien bis zur Hochschule. Noch zehn Minuten, sagte die Lehrerin. Oder war sie vielleicht Pharmazeutin? Jedenfalls wußte ich, daß sie irgend etwas abgeschlossen hatte. Die Frau faltete endlich den Brief und steckte ihn zurück in die Tasche. Sie lächelte mich an. Ich lächelte zurück. Ob ich auch zur Promotion fuhr? Ja, sagte ich und wurde rot. Weil ich spürte, daß mich die Pharmazeutin anschaute. Der Bruder? Nein, sagte ich, mein Bräutigam. Gratuliere, sagte die Frau und streckte mir ihre knöcherne, fleckige Hand hin. Ich drückte zu. Ich fragte, ob ihr Sohn ... Nein, mein Patenkind! Gratuliere, sagte ich, und die Pharmazeutin schaute überlegen aus dem Fenster. Was haben denn Sie studiert? fragte die Frau. Ich? Nichts. Ist auch besser, sagte sie, für eine Frau ist es besser. Was haben Sie denn für einen Beruf? Sekretärin, sagte ich schnell, weil mir einfiel, daß ich wenigstens Maschineschreiben hätte lernen können. Das ist ein schöner Beruf für eine Frau, sagte die Patin. Ich bin auch Sekretärin, sagte die Pharmazeutin, ich fahre zur Promotion meiner Schwester.

Und dort, in dem Festsaal, roch es nach zu vielen Menschen, und es wurde lateinisch gesprochen, einige Männer hatten sich verkleidet und trugen seltsame Kopfbedeckungen, und hinter mir sagte einer, daß der Diplomingenieur nicht hinter dem Doktor zurückstehe, beides seien gleichwertige akademische Grade, und ich dachte, daß Rolf nicht nur Diplomingenieur war, sondern auch Doktor der Technik. Da wurde mir kalt, und am Abend jenes Dienstags konnte ich nicht mehr mit ihm schlafen. Seine Unterhosen fielen mir auf. Ich mußte mich wegdrehen. Gute Nacht, Zauber. Wohin geht die Liebe, wenn sie geht? In den Arsch? Sei nicht ordinär. Er war so stark, ich so schwach, alles so schön, und jetzt kann ich nicht mehr. Sei kein Kind, sagte Rolf. Wie mager er sich an mich preßte in jener Nacht. Geh zu einem Blinden und sag ihm: Sei nicht blind! Also gut, sagte der Dr. Dipl.-Ing. und drehte das letzte Licht aus.

Vater sagt, Rolf ist ein anständiger und tüchtiger Bursche, Mutter sagt, auf Rolf kann ich stolz sein, Großmutter sagt, das wichtigste ist eine gutbürgerliche Verbindung. Karl dachte anders und sagte nichts. Aber Karl zählt nicht, seit er an seiner Schule bei der Unterrichtung der Kinder in Menschenrechten eine wahre Geschichte als konkretes Beispiel menschenunwürdiger Behandlung erzählt hat. Ein Bauernknecht wurde in unser Bezirkskrankenhaus eingeliefert, dort stellte man außer einem gebrochenen Bein auch Verwahrlosung und chronische Unterernährung fest. Der Bauernknecht konnte keine zusammenhängenden Sätze sprechen, er hatte in der Fleischkammer geschlafen, wo die Bauern das Selchfleisch aufbewahren, sein Essen bestand aus Abfällen, die er im Sommer im Hof und im Winter im Stall serviert bekam, und der Knecht hatte noch nie Geld gesehen, obwohl er Bezieher einer Fürsorgeunterstützung war, aber die hatte der Bauer unterschlagen, und Karl erzählte seinen Kindern in der Schule die Geschichte von dem Knecht, und ich erzählte sie Vater, Vater aß gerade Selchfleisch, und weil der Bauer ein treuer Patient von uns ist, wie Mutter das nennt, und weil wir stolz sind auf die Treue unserer Patienten, und das Selchfleisch war vielleicht von dem Bauern, jedenfalls ist Karl seither ein Psychopath und zählt also nicht. Für einen Rückzieher ist es wirklich zu spät. Rolfs Mutter und meine Eltern duzen sich schon. Großmutter hat ihre böhmischen Kristallgläser und das geklöppelte Tischtuch hervorgeholt an dem Nachmittag, an dem wir alles terminlich fixiert haben, und die Schachtel mit den bräunlichen Fotografien, da sagte Rolf, daß ich meiner Mutter ähnlich sehe, und Großmutter sagte, daß ich aber den Herzmund von ihr habe, sie zeigte ihre Zähne, alle original, sagte sie, das war ein Fauxpas, weil Rolfs Mutter falsche hat, und Großmutter merkte nicht, daß sie noch tiefer ins Fettnäpfchen stieg, als sie erklärte, woher das starke Gebiß in unserer Familie kommt, nämlich aus der seit Generationen gesunden Linie ihrer Seite, und ich soll meine Zähne zeigen, und Vater hat Rolf an dem Nachmittag sein zweites Paar Gummistiefel geschenkt. Er wird jetzt einen Fischerkameraden haben und einen Jagdfreund. Es gibt kein Zurück mehr.

Wer geht zuerst hinein? Sie schieben mich: du! Mit wem? Natürlich mit Vater. Die Orgel spielt schon. Organisten tragen wollene Fingerwärmer, das habe ich einmal im Kino gesehen, sie sind immer arm und frieren, weil sie Künstler sind. Karl friert nicht, aber er

die quälerei = Torture

trinkt. Organisten werden ausgelacht, wenn sie kompo-
nieren. Anton Bruckner lebte in dem Dorf, wo das mit
dem Knecht passiert ist. Er verbrauchte nachts viel
Licht, Petroleum oder Strom, jedenfalls schimpfte der
Hausherr, und alle sagten, daß der Lehrer Bruckner
spinnt. War er verheiratet? Gib mir noch einen Kuß,
bittet Mutter. Mir auch, sagt Vater. Mir soll sie auch
noch einen Kuß geben, sagt Großmutter, schau, dort
steht deine zukünftige Schwiegermama! Großmutter
zeigt mit dem Finger, Vater holt ihre Hand zurück. Red
nicht so viel! Man wird doch noch reden dürfen, sagt
Großmutter, ich bin die Mutter, und wenn ich nicht
wäre, wärt ihr alle nicht. Ein Fotograf verstellt uns den
Weg. Komm schon, sagt Vater. Geh gerade. Stolpere
nicht über das Kleid.

Das ist deine Hochzeit, die Braut bist du, das ist kein
langes weißes Nachthemd, was du anhast, das ist ein
Brautkleid. Und der, der so blaß neben dir sitzt, das ist
noch immer Rolf, dein Mann ab jetzt, nicht für dich, für
die anderen. Du hast Ja gesagt vor dem Priester und
Nein gedacht. Du hast also gelogen. Jetzt löffle die
Suppe aus mit dem Silberlöffel. Kellner scharwenzeln
herum. Kellner hab ich nie leiden können. Etwas Glit-
schiges ist an ihnen. Sie tragen zuerst mir auf, obwohl
ich am weitesten von der Tür entfernt sitze, da müssen
sie einen Umweg machen, linkszweidrei, bittesehr,
dann kommt Rolf dran, bittesehr, dann meine Mutter,
sie verliert nicht die Tochter, sie gewinnt einen Sohn,
dann Rolfs Mutter. Sie hat ein langes Haar auf der
Oberlippe. Wenn sie lacht, sieht man krankes Zahn-
fleisch, dort, wo die Goldhaken sind. Seit Rolfs Vater an
Gehirnschlag gestorben ist, lacht und redet sie viel.
Eigentlich ununterbrochen. Wir werden natürlich nicht
bei ihr wohnen. Rolf denkt modern. Linkszweidrei,

schon wieder steht ein Kellner da. Ich bekomme eine Scheibe Ananas mit einer roten Kirsche. Nur ich? Nein, ich zuerst. Die Reihenfolge ist wichtig. Wie kann man auf so was Gedanken verschwenden? Wie kann man servieren auf so einer Hochzeit? Außerdem ist es kalt. Aber keiner gibt es zu. Dieses Restaurant war früher der Speisesaal einer Ritterburg. An den Wänden hängen noch Malereien wie Schmutzflecken. Weil ich kurzsichtig bin. Eine Braut mit Brille, das geht nicht! Hier ist es teuer, und Vater hat alles bezahlt. Wie soll man da zugeben, daß schlecht geheizt ist? Rolf bemerkt mich gar nicht. Es ist sein Tag. Er weiß nur nicht welcher. Alles nach Plan gegangen. Wohnungskauf mit Anzahlung von Schwiegermutter und Vater. Das Objekt war günstig. Kapitalsanlage. Eine schöne Wohnung ist ein ausbruchsicheres Gefängnis. Albert und Hilde sitzen zwischen Onkel Mandi und Tante Grete. Hilde wollte Fernsehsprecherin werden, ihre Eltern haben es nicht erlaubt. Da hat sie Albert eingekauft mit einer Wohnung. Albert könnte sich diesen Lebensstandart nicht leisten ohne Hilde. Also quitt.

Albert gefällt mir besser als Rolf. Er hat mir schon immer gefallen. Damit werde ich mich in Zukunft beschäftigen. Das Fleisch war vorzüglich, sagt irgend jemand. Bitte, Herr Ober, vergessen Sie nicht die Zigarren! Die Braut soll lächeln. Warum? Du wirst fotografiert, sagt Mutter. Die Braut soll herüberschauen, den Kopf ein bißchen neigen, danke! In England sagen sie dabei «Cheese!», übrigens, sagt jemand, finden Sie nicht, daß man mit dem französischen Käse viel zuviel Aufhebens macht? Wenn man bedenkt, daß wir in Österreich mindestens dreiundzwanzig Käsesorten . . . Aber kein Vergleich! Wer nie in Frankreich war . . . Frankreich war vielleicht einmal! Ich bin vorigen Sommer dort gewesen, sagt jemand, trostlos, trost-los, sage ich Ihnen. Ich möchte sagen, sagt jemand, daß seit Pompidou kein französischer Präsident ... Aber ich würde doch meinen, daß unter de Gaulle ... Nein! De Gaulle war nie daran interessiert, die ... Wenn man die Geschichte zurückverfolgt ... Es lebe die Braut. Wie jung sie aussieht, und alles noch vor sich! Nicht alles, hehe. Die Braut soll noch einmal lächeln. *When you're smiling, when you're smiling, the whole world smiles with you.* Es lebe Bob Hope! Die Braut hat einen Schwips. Bob wer? Bob Hope, der amerikanische Film-schauspieler! Falsch, Bob Hope war Engländer, sagt jemand. Wieso war? Die Braut ist beschwipst.

Ich muß jetzt wirklich schauen, was mir der Onkel Mandi zur Hochzeit geschenkt hat. Er steckte mir das Kuvert in der Sakristei zu. Tante Grete darf wahrscheinlich nicht wissen, daß er mir Geld gibt. Der Onkel Mandi ist extra aus Lunz am See gekommen und hat mir, bitte gib das weg, und hat mir also, gib sofort das Kuvert weg, der Onkel Mandi hat den weiten Weg von Lunz am See hierher nicht gescheut, um mir, wenn du das Kuvert nicht augenblicklich weggibst, kriegst du nachher eine Ohrfeige, sagt Rolf. Dreitausend Schilling. Tante Grete trägt einen Krempenhut. Das wäre eine Idee gewesen. Warum habe ich nicht mit Hut geheiratet? Ich habe ein Hutgesicht. Außerdem darfst du mich nicht ohrfeigen, Rolf, weil ich die Braut bin, und außerdem hat mich Karl schon geohrfeigt, das weißt du doch ganz genau. Danke, Karl, daß du an mich gedacht hast einen Tag vor der Hochzeit, du hast mich nicht vergessen. Weißt du, Rolf, wie du mit dem Karl um mich gerauft hast vor dem Gymnasium, da war der Karl im Recht, ich hatte dich belogen. Warum interessiert es dich nicht, du solltest dich dafür interessieren, wen du geheiratet hast. Nein, sagt Rolf, es interessiert mich nicht. Alle Leute essen. Alle Leute trinken Kaffee. Ich werde den Fotografen fotografieren. Aber Rolf ist dagegen. Der Ober hat die Zigarren gebracht. Auf jeder Zigarre ist eine Papierschleife, darauf sieht man den Großglockner. Ist das so üblich auf österreichischen Hochzeiten, daß der höchste Berg mit dabei sein muß? Alle Leute tun, als wären sie das gewohnt, auf Hochzeiten Wein trinken. Die heutigen Gäste sind dieselben, die bei Großvaters Begräbnis das letzte Mal mit uns aßen. So trifft man sich wieder. Der Fotograf fotografiert noch immer. Bei jedem Blitz verkrampft sich Vaters Magen. Er kriegt ja dann die Rechnung. Auch der Fotograf hat ein Gedeck bekommen, als ob er dazugehörte. Wahrscheinlich damit er nicht pausenlos fotografiert. Vater ist schlau. Du bist betrunken, sagt Rolf, schämst du dich nicht? Albert hat ein Muttermal am Kinn. Ich bin nicht betrunken genug, das zu übersehen. Karl hat einmal gesagt, unter allen Schulfreunden ist Albert der einzige, bei dem man sich nicht schämen mußte, mit ihm in einer Klasse zu sitzen. Wie hat Karl das gemeint?

In allen Glückwunschtelegrammen ist das gleiche bestanden. So viele Leute, die uns nicht mögen, haben uns Glück gewünscht. Niemand hat sich einen besonderen Spruch einfallen lassen, auch die nicht, die uns mögen. Rolf hat jedes Telegramm vorgelesen. Jetzt müssen wir glücklich werden, es geht gar nicht anders. Das Zimmer liegt im dritten Stock. Man hört seinen eigenen Schritt nicht auf diesen Teppichen. Ein Herr kommt uns entgegen. Er küßt meine Hand. Ich müßte dringend aufs Klo. Er sagt, daß seine Frau sich mit uns freut. Woher weiß er das? Der Herr schätzt Rolf, und er zieht mir noch einmal die Hand weg, hinauf zu seinem Mund. Endlich allein. Rolf läßt mir den Vortritt ins Zimmer. Es riecht neu. Wurde das Hotel für uns gebaut? Warum müssen wir überhaupt in ein Hotel? Rolf verschwindet im Bad. Er schließt die Tür hinter sich. Die Hotelzimmer, die ich kenne, haben kein Bad, nur winzige Waschbecken, abgewetzte Fauteuils, Ausblick in Hinterhöfe, Emigrantenstöhnen, ich habe zu viele Romane gelesen, außerdem bin ich hungrig. Hier gefällt es mir nicht. Ich möchte hinuntergehen und etwas essen. Wir haben aber gerade geheiratet, deshalb darf ich nicht allein hinunter.

Im Speisesaal streichelt Rolf meine Hand. Ich streichle die Serviette. Er nimmt mir das Feuerzeug aus der Hand, weil er mir Feuer geben muß. Du rauchst vor dem Essen? Ich mache die Zigarette aus. Warum raucht man vor dem Essen? Rolf hat recht. Aber rauch doch, sagt er, du bist ja frei. Natürlich bin ich frei. Ich nehme das Feuerzeug und eine Zigarette. Rolf nimmt mir wieder das Feuerzeug aus der Hand. Verzögerung um sechs Sekunden. Warum greift er nicht nach dem Feuerzeug, bevor ich es in der Hand habe? Eigentlich wollte ich Laurence Olivier heiraten. Du ißt ja wieder nichts! Von einem Nebentisch wird Essen zurückgeschickt. Der Kellner trägt das Tablett an uns vorbei. Rolf nickt irgendwie solidarisch. Aber zu wem hält er?

So groß war der Hunger aber nicht, sagt er, als wir im Lift hinauffahren. Dann suchen wir das Zimmer. Weiß er noch, welche Nummer wir haben? Wenn wir das Zimmer nicht finden, wird er eine Meldung erstatten. Aber Rolf findet die Nummer ganz leicht, schiebt mich durch die Tür, sperrt hinter mir ab, steht aber doch neben mir, nein, er geht nicht weg, er zieht sich jetzt aus. Hinter dem Vorhang dort ist sicher ein Fenster. Ich habe schwarze Vögel gesehen, als wir aus dem Auto ausstiegen. Ob die frieren im Schnee? Warum mußten wir eigentlich im Winter heiraten? Es ist so kalt, daß ich baden muß. Rolf sagt, daß Baden mit vollem Magen ungesund ist. Aber ich habe ja so wenig gegessen. Wer ist in der Hochzeitsnacht an Nasenbluten gestorben? König Attila! Das habe ich mir gemerkt aus dem Geschichtsunterricht, weil der Frechste aus der Klasse zum Professor sagte: Der mußte ja seine Nase überall hineinstecken! Der flog später aus dem Gymnasium, weil er zu oft ohne Aufforderung sprach. Vielleicht bekommt Rolf einen Herzanfall, während ich bade. Ich ziehe mich langsam aus. Eine Bombe könnte explodieren im Hotel. Jetzt gibt es ja überall Bomben. Versöhnlicher Gedanke, daß schon jemand vor mir diese Handtücher benützt hat. Und noch viele nach mir werden sie benützen. Wenn man sich ganz langsam ins Badewasser gleiten läßt, kitzelt das angenehm an den trockenen Hauträndern. Ich bleibe liegen, bis das Wasser kalt ist. Ich reibe mit den Handtüchern, bis die ganze Haut rot ist. Was kann ich noch tun, damit er inzwischen einschläft? Der Schlafrock, den die Schwiegermutter für mich nähen ließ, hat lange Bänder. Man kann die Bänder über dem Bauch oder im Kreuz binden. Es steht einem frei. Da bist du endlich, sagt er und greift gleich nach dem Geschenk mit Masche. Er läßt die Hand wandern, wickelt aus, fragt, ob er Licht machen darf, setzt spitze Küsse auf meiner Haut ab, die sich nicht wehren kann, denn wenn eine Frau nicht will, daß man sie küßt, so muß sie es ausführlich begründen, und wenn sie das getan hat, bekommt sie dafür einen Kuß, weil es rührend ist, wenn Frauen sich bemühen, etwas zu erklären, weil eine Frau eine Frau ist. Männer sagen einfach nein, und wenn sie nicht wollen, dann können sie auch nicht. Ich sage: Nein. Das Spiel beginnt. Warum nicht? Weil ich unglücklich bin, Rolf. Er dreht das Licht auf, schaut mich an und findet, daß unglückliche Menschen anders aussehen. Ich drehe das Licht aus. Er dreht es auf. Küßt mich auf die Nase, weil sie aufgebogen ist, und Stupsnasen schreien ja danach, angestupst und geküßt zu werden. Und was ich alles sage in dieser Nacht, rühr mich nicht an, laß mich schlafen, ich will nicht, ich würde viel lieber allein spazierengehen jetzt, ohne dich, das alles gilt nicht, weil Rolf das Licht immer wieder aufdreht und mich anschaut, und Stupsnasen können sagen, was sie wollen, sie sehen aus, wie sie aussehen, vorher und nachher, und seine Hand tastet weiter, ich verscheuche sie, er sagt, das hat er sich anders vorgestellt, das Bett kracht, jetzt darf ich nicht mehr nein sagen, schließlich ist er ein Mann und nicht aus Holz, und ich schreie: Nein! Da liegt er wieder neben mir, sein Herz klopft, ich höre es, ich fürchte, daß er weinen wird, dann werde ich naß sein von seinen Tränen. Ich habe eine große Schuld auf mich geladen, ich weiß es ja, und vielleicht hilft er mir ab morgen, daß wir diese Schuld aufteilen und allmählich freier werden und wieder atmen können, miteinander.

Das Zimmer ist noch immer da, als ich die Augen aufmache, die Schwere auf meiner Brust, diese trockene Luft. Ich schleiche zum Vorhang, da ist wirklich ein Fenster, und frischer Schnee liegt draußen, es hat also geschneit. Daß so ein Tag kommt. Daß wieder der Himmel da ist. Da bewegt sich etwas im Raum. Es ist Rolf. Seine Augen sind feucht vom Gähnen. Er stützt sich auf die Ellbogen. Guten Morgen! Guten Morgen! Den Arm streckt er jetzt nach mir aus, und sein Pyjama ist blau, mit dunkelblauen Streifen, mit einem Täschchen links oben. Wozu haben Pyjamas solche Täschchen? Er lächelt. Komm! Er hört nicht auf, den Arm nach mir auszustrecken, bittend, freundlich, verschlafen, ergeben, und ich lege meine Hand in seine warme, trockene Hand. Er zieht mich zu sich, ich lasse mich ziehen. Er hebt mich ins Bett. Ich lasse mich heben. Er schiebt mein Nachthemd hinauf. Ich lasse mich ganz entblößen. Weil ich draußen bin im Schnee, bei den schwarzen Vögeln, weil ich nicht da sein werde, wenn du mich berührst.

Totenvögel und Mondfischbrüste. Daß er Krähen oder Raben meinte, wußte ich. Aber was bedeuteten die Mondfischbrüste in Karls Gedichten? Warum saß er und las Gedichte vor, die er geschrieben hatte, wo ich doch kein Wort verstand?

Glaube mir, das Leben kann schön sein, sagte Karl und las und las. Er war sechs Jahre älter als ich, wie Rolf, und ich wollte alles glauben, was ältere Menschen mir sagten. Denn mit achtzehn begann ich eine Traurigkeit zu spüren, von der ich nicht wußte, woher sie kam, und ich besuchte Karl, um ihm das zu erzählen. Er machte ein ernstes Gesicht, ignorierte die heißen Maroni, die ich mitgebracht hatte, holte maschingeschriebene Manuskripte aus seinen Laden, und dann las er diese Gedichte vor. Es waren auch Fremdwörter drin, die ich nicht verstand, aber ich wagte nicht zu fragen, denn Karl nahm mich ernst, und wir saßen einen ganzen Nachmittag nebeneinander. Ich begann mich zu schämen für das Bedürfnis, das ich gleich beim Eintreten gehabt hatte: Karls Nacken zu berühren, irgend etwas geschehen zu lassen zwischen ihm und mir, und es war, je länger er las, nicht mehr so angenehm, Körper an Körper zu sitzen. Vielleicht war ich ihm zu jung. Ich, als Dame, konnte ihn nicht einfach küssen. Das erzählte ich dann Rolf, und Rolf berührte meinen Nacken, anstatt mir auf meine Fragen über Karl etwas zu antworten, und dann geschah es mit Rolf, und ich hatte guten

Grund, diesen Karl zu verachten mit seinen Mondfisch-brüsten. Und so ist es vielleicht gekommen. Rolf lachte mit, als ich anfing, über Karl zu lachen. Das verband uns.

Alles war einfacher mit Rolf. Die Schaffnerinnen in den Straßenbahnen waren freundlicher, wenn ich mit Rolf einstieg. Wenn ich mit Rolf ins Theater ging, lächelten die Billeteure. Wenn die Traurigkeit wiederkam, sagte Rolf, das sei auf meine Unsicherheit zurückzuführen. An den Nachmittagen, die ich weinend auf dem Sofa verbrachte, während Rolf seine Schrauben zeichnete, tröstete mich dieser Anblick personifizierter Nützlichkeit. Wenn er fertig war mit dem Zeichnen, setzte er sich zu mir und war meine Mutter. Er sprach von den angenehmen Seiten des Jahrhunderts, in dem wir leben, schaltete das Radio ein, bis die richtige Musik kam, war froh, wenn ich die letzten Tränen schluckte und sagte, daß mich das Leben jetzt wieder gepackt habe, und ich sagte ihm nicht, daß die Musik das bewirkte, nicht er. Denn er freute sich ja, wenn ich mich freute, und wenn ich ihm aus meinem Tagebuch vorlas, daß meine ganze Haut schmerzte vor Sehnsucht nach seiner Haut, da sagte er, daß er mit mir und mit keiner anderen Frau Kinder haben wolle. Es war alles in Ordnung mit Rolf. Und wenn die Traurigkeit wiederkam, sagte er, das sei vielleicht eine vererbte Neigung zur Schwermut, und damit habe man sich abzufinden.

Hochzeitsreise findet statt wie geplant. Eine Fahrt in den Süden. Es wäre unmöglich gewesen, die Hochzeit abzusagen, da doch die Einladungen gedruckt waren. Noch dazu so schöne. Doppelseitige, auf- und zuklappbare Karten. Die Hochzeit absagen, das wäre ja so, als müßte man ein Begräbnis absagen, weil der Tote auf einmal nicht gestorben ist. Da hat man schon getrauert, und jetzt soll man sich wieder freuen? Natürlich fahren wir nach Italien. Lago di Garda. Knisternde Säckchen füllte ich mit Kieseln, es ist lange her, damals mit Vater und Mutter, als wir in Riva übernachteten, da wurden am Abend Schafe durch die Stadt getrieben, die kleinen Zuckersäckchen waren es, aus dem Kaffeehaus, jetzt weiß ich es wieder, und Mutter hatte mahagonirotes Haar, sie bückte sich, laß endlich die Kiesel, sagte Vater, laß doch das Kind spielen, sagte Mutter. Vielleicht hat Mutter mich zu sehr verwöhnt? Und die Geschichte mit dem Schwimmreifen. Ich wollte unbedingt einen haben. Vater redete nichts mehr mit Mutter und mir. Aber ich bekam den Schwimmreifen. Dann wollte ich ihn nicht mehr und warf ihn weg. Aber Rolf ist kein Schwimmreifen. Er hat sensible Magennerven und übergibt sich nach dem Frühstück. Es kann daher kommen, daß er die Zahnbürste zu tief in den Mund steckt. Nein, sagt er, wenn du es wissen willst: Mir war schon die ganze Nacht schlecht. Bist du krank? Ich habe die ganze Nacht nicht geschlafen! Fahren wir zurück? Das würde dir so passen, sagt er. Man kehrt nicht um auf einer Hochzeitsreise.

Während Rolf nicht schlafen konnte, träumte ich, daß der Standesbeamte zu mir sagte: Sie können nicht heiraten, warten Sie einen Augenblick! Er kam und wollte mir einen Stachel aus der Armbeuge ziehen. Ein langer schwarzer Stengel war es, aus dem Wasser spritzte, als der Standesbeamte ihn knickte. Wir müssen ihn herausziehen, sagte er zu Rolf, aber Rolf hatte es eilig und wollte nicht warten. Ich riß an dem Stachel, da war plötzlich ein Loch in meiner Armbeuge. Das ist noch nicht alles! rief der Mann, und jetzt war es nicht mehr der Standesbeamte, sondern der Pfarrer. Ziehen Sie fest! rief er, und ich zog und zog und zog, und da war eine Pflanze in meinem Arm, mit Blütenkelchen, Staubgefäßen, und ich zog und zog und zog, und da waren neue Kelche, die sahen aus wie fruchtige Disteln, und das hörte nicht auf, und ich mußte immer wieder ziehen, und ich erwachte erschöpft, und Rolf lag wach neben mir. Da hob der Standesbeamte sein Buch, hielt eine Rede, auf die er sehr stolz war, und er zeigte uns, daß er sie mit Füllfeder geschrieben hatte, eine gestochene, klare Schrift war es, und Großmutter stand hinter mir, und sie sagte, das sei eine sympathische, anständige Handschrift. Und Rolf hatte überhaupt nicht geschlafen!

Rote, gelbe, ockerfarbene Häuser, Gebirge mit Schnee und blauem Himmel, Brescia, Milano, wie schön sich das anhört: Milano. Das hab ich als Kind vor mich hingesungen, Milano, ich möchte wieder ein Kind sein. Rolf kennt sich hier aus. Er war schon einige Male in Mailand. Und wir kommen nach Genua. Rolf erklärt mir alles Wissenswerte über den Hafen und seine wirtschaftliche Bedeutung. Endlich Florenz. Florenz klingt schöner als Firenze. Rolf findet das auch. Darüber bin ich froh. Man hätte vor fünfhundert Jahren hier leben müssen. Das wäre ein gutes Leben gewesen. Rolf findet das nicht. Er hört sich die Geschichte des Pontevecchio aus einem Automaten an, in den man hundert Lire steckt. Er ist gekränkt, weil ich diese Geschichte nicht hören will. Dann beginnt es zu regnen. Das ärgert ihn noch mehr. Wo doch der Regen den Arno ganz gelb macht und den Himmel so tief, alles eintaucht in Farben. Michelangelo ist über diese Pflastersteine gegangen, barfuß. Glaubst du, daß es damals keine Schuhe gab? fragt Rolf. Michelangelo hat vielleicht einmal seine Hand auf diese Türklinke gelegt. Ein kleines, heimliches Glück. Ich stehle mir Splitterfreuden aus Rolfs Tag. Im Hotel steht ein Fernsehapparat, darin schwimmen Cary Grant und Grace Kelly. Es geht um Millionen. Rolf will die Geschichte sehen. Im Bad schrubbt er mir den Rücken, und da fällt ihm auf, daß ich zu große Zehen habe für so kleine Füße. Ich sage, daß es sich gut geht mit meinen Zehen. Und gute Nacht! Nein, sagt er, so war das nicht gemeint.

Italien ist ein Stiefel. Wir fahren den Reißverschluß hinunter. Dort drüben kannst du den Apennin sehen. Liebes. Wie ist es eigentlich im Apennin? Uninteressant. Wieso? Sonst würde man ja darüber hören, wenn es was Interessantes dort gäbe. Es ist wahr. In Geografie haben wir nur gelernt: Apennin. Und sonst nichts. Sind die Italiener richtige Nachfahren der Römer? Sicher, sagt Rolf. Er weiß es. Und weiß auch, wie man Autokarten liest, wie das mit den Benzinmarken geht, daß die Italiener Gauner sind. La strada. Le strade. Du willst Italienisch lernen? Warum nicht, una birra, due birre. Hör doch auf, das ist ja keine Sprache. Uomo avvisato, mezzo salvato! Quando nacqui, mi disse una voce: tu sei nato a portare la tua croce. Willst du mich ärgern? Woher hast du dieses Buch? Lerne lieber Spanisch, das hat Zukunft!

Aber Rom, Rom, wirklich nach Rom! Die Großmutter hat von den Katakomben erzählt und vom Gepäckträger, der sie schon kennt. Sie schreibt eine Karte jedes Jahr, bevor sie nach Sizilien reist, dann holt der Gepäckträger sie in Rom von ihrem Waggon ab. Sie bringt ihm jedes Jahr eine Schachtel Zigaretten mit. Und die Großmutter hat alle drei Päpste gesehen, und von allen hat sie sich den Segen geholt. Der Papst Pius war ihr am

sympathischsten. In Rom ist alles anders, hat die Großmutter gesagt, weil es die Ewige Stadt ist. Aber Rolf hat
ein Büchlein, darin steht, wohin man gehen muß in
Rom. Den Petersdom haben wir uns größer vorgestellt.
Jetzt vertragen wir uns wieder. Glaubst du, Rolf, daß
der Papst eine Freundin hat? Möglich. Hat er eine oder
hat er keine? Wahrscheinlich, sagt Rolf. Noch ganz
andere Sachen habe ich über den Papst gehört, aber ich
merke, daß Rolf so was nicht interessiert, weil es in
einem französischen Sexmagazin gestanden ist. Und die
Kardinäle? Lauter Atheisten, sagt Rolf, Kirche ist doch
Politik wie alles andere! Warum treten wir dann nicht
aus der Kirche aus? Rolf sagt, weil es keine Vorteile
bringt. Warum haben wir denn kirchlich geheiratet?
Rolf sagt, als Österreicher ist man katholisch, und das
trägt man wie den Steireranzug. Und Schluß, aus, wir
müssen jetzt zur Spanischen Treppe. Also ich muß
nicht. Darf man fragen warum? Nein, ich will fragen,
warum du immer so redest wie die blöden Volksschullehrer, von denen Karl sagt, daß sie mit zwanzig schon
sagen: Also die jungen Leute heutzutage! Der Karl hat
einmal den Anfang eines Gesprächs unter jungen Kollegen gehört, und er hat geglaubt, sie parodieren den
Volksschuldirektor, der hat auch immer einen Steireranzug an, und dann hat er gemerkt, daß sie genau das
gesagt haben, was sie denken. Das hat ihn verwirrt.
Kommst du zur Spanischen Treppe, bitte? Er kriegt
keine Antwort und geht mit schnellen, gekränkten
Schritten über die Straße. Der Fotoapparat, mit dem er
das Kolosseum erledigt hat, baumelt von seiner Schulter. Wenn Sommer wäre, würde er ein Käppchen und
kurze Hosen tragen. Dann könnte man die mageren
Beine sehen. Vom Risotto hat er Durchfall bekommen.
Er hat eine Wut auf Italien. Ich will aber im Kolosseum

bleiben und nicht davonlaufen vor dem Entsetzen, ich will das begreifen, was hier geschehen konnte, wo es doch heißt, daß nichts geschieht, ohne daß Gott es will, und wie war das mit der Allmächtigkeit und Barmherzigkeit, wenn die Gladiatoren aufeinander losgingen? Was dachten sich die Männer und Frauen, die dabei zuschauten? Was fühlten sie? Was hat sich seither geändert? Es hat sich gar nichts geändert. Dem Geschichtsprofessor, den wir auch in Geografie hatten, ist immer das Wasser im Mund zusammengelaufen, wenn er gesagt hat: Brasilien, Kaffee, Kolumbien, Bananen, und die Schlacht bei, und die Enthauptung des, und er hat sich bei Napoleon und Bismarck immer sehr gemütlich aufgehalten, weil ja dann Österreich durchzunehmen gewesen wäre unterm deutschen Regime, und da wußte er nie, was er sagen sollte, einerseits als Lehrer, andererseits als Parteimitglied. Es hat sich nichts geändert, nur die Moden ändern sich, und die Luft, die ich einatme, ist auch durch die Lungen der Gladiatoren geströmt, ich sitze auf Blut und in Blut, und Blut rinnt durch den Körper des Ansichtskartenverkäufers. Warum ist das kein Tempel? Hier könnte ich beten. Nicht drüben unter der Kuppel. Da ist die Wahrheit, nicht dort in den Fresken.

Wenn die Italiener nicht das Hemd gewechselt hätten, sagt Rolf, hätten wir den Krieg nicht verloren. Die deutschen Soldaten waren die tapfersten, und leider hat Adolf Hitler nicht auf seine Generäle gehört, und man muß kein Nazi sein und kein Faschist, um die Tatsachen anders zu sehen, als es einem heute aufgezwungen wird. Wer hat denn die russischen und die englischen und die französischen Kriegsverbrecher aufgehängt? Nein, nein, sagt er, um mit dir über Politik zu reden, da mußt du erst reifer werden. Und er will keine Spaghetti,

28

milanese nicht und bolognese nicht, und die Italienerinnen haben alle zu kurze Beine und zu breite Hüften, und Deutsch können sie auch nicht, und am Strand bläst der Wind, alles kahl rundherum, der Himmel liegt wie ein Segeltuch über stählernem Wasser. Wer zuerst das Meer sieht, kriegt ein Eis, sagte Vater. Ich, ich sehe das Meer! Wie kommt das Salz ins Meer? Mutter lacht. Die Fischer fahren hinaus, sagt Vater, und sie haben Pakete, und sie streuen das Salz vorsichtig in die Wellen. Mutter lacht und streichelt mich. Mutter und Vater sind glücklich, glaube ich, du bist frigid, sagt Rolf, ich weiß nicht, sage ich, weil man sich das schnell angewöhnt zu sagen: Ich weiß es nicht. Er möchte aber wissen, warum ich alles schön finde, was ihm häßlich vorkommt, und umgekehrt, und warum ich mich nicht fotografieren lasse, warum ich trotzig und aufsässig bin. Ich kann nichts sagen, weil er alles, was ich ihm anvertraue, auspreßt. Er gibt mir die Schale zurück: Schau, so leer war deine Behauptung. Sag noch was, ich will es prüfen. Schau her, es ist wieder nichts. Da hast du es zurück. Und denk nicht immer an deine blöde Kindheit, befaß dich mit der Gegenwart, werde endlich erwachsen. Wie wird man denn erwachsen? Das bringe ich dir schon bei. Als ich ein Kind war, Rolf, habe ich mich gefreut auf das Erwachsensein. Ich war voll Vorfreude und Ungeduld. Jeder Geburtstag war ein Sieg! Und jetzt möchte ich wieder zurück, bis in den Bauch meiner Mutter möchte ich, wenn ich uns so ansehe. Was ist denn los mit uns, fragt Rolf, warum beziehst du mich denn ein in deine Stimmungen? Ich genieße doch diese Reise!

Das wird auf den Fotos zu sehen sein, später, wenn wir das Album durchblättern und herzeigen, dann werden wir begreifen, daß wir eine schöne Hochzeitsreise hatten wie jedes vernünftige Paar. Von außen sehen wir auch ganz normal aus. Sonne und Meer, wie das glitzert, die weißen Hotels, die durchsichtigen Steine, die roten Papierkörbe. Rolf hält das Auto an, um die Asche in so einen Papierkorb zu leeren. Ich möchte mit jemandem sprechen können, ohne zurechtgewiesen zu werden. Mit dem Papierkorb! Mich auf die Straße legen und mit der Straße reden. Hör doch auf zu weinen! Es tut mir gut, Rolf. Dann weine, wenn es dir guttut. Aber weine nicht endlos, sagt er, du bist schon ganz verschwollen! Ich denke, daß der menschliche Körper zu einem hohen Prozentsatz aus Wasser besteht und daß man sich vielleicht fortweinen kann, und Kleider, Schuhe, Handtasche und alles, was als Wertgegenstand bezeichnet werden muß, das bleibt dann auf dem Autositz zurück, und Rolf kann es einsammeln, und es gibt für ihn keine Mißverständnisse mehr.

Vielleicht hast du dich immer für etwas Besonderes gehalten, sagt er, du wurdest ja von deinen Eltern verwöhnt, deine Kindheit war glücklich, das Leben ist also nicht so, wie du es dir vorstelltest, und jetzt hast du eben Schwierigkeiten.

Ich war ein besonderes Kind. Ich trug einen grünen Mantel mit runden Knöpfen, wir gingen einen grünen Weg entlang, Mutter und ich, in ein Haus zu anderen Leuten, mit kleineren Fenstern, es waren ärmere Menschen, die sofort erkannten, daß es eine Ehre war, Mutter und mich empfangen zu dürfen, weil wir zu Vater gehörten, und Vater war der wichtigste Mann in der Stadt, er machte alle Leute gesund, er rettete vielen Menschen das Leben. Die Menschen wurden in zwei Gruppen geteilt: unsere Patienten, die guten, und nicht unsere Patienten, die schlechten. Ich wußte, daß es außer Menschen auch noch etwas anderes gab, die Ärzte, und meine Freundinnen waren Arztkinder, wir fuhren auf Ärztekongresse nach Italien, und es war etwas Besonderes, Ohrenschmerzen zu haben, weil Vater dann in seinem weißen Mantel aus der Ordination heraufkam und sich mit mir beschäftigte, obwohl es schmerzte, wenn er die Wattepfropfen in meine Gehörgänge bohrte, aber es waren Vaters Hände, und wenn Vater mir Schmerz bereitete, war es richtig, und ich war stolz, daß er mich wahrnahm, sooft ich Ohrenschmerzen hatte. Und als ich in Wien inskribierte, da kannte niemand meinen Vater, was mich sehr verwunderte, ich war nicht mehr ich, nur noch irgendeine, ich war eine unter so vielen, das schmerzte, und da kam Rolf, der mich wiedererkannte, er wußte, wer ich war, und mit ihm mußte ich schlafen, weil es so richtig war. Glaubst du, daß es das ist, Rolf? Ja, sagte er, und du weißt, wie sehr ich deinen Vater schätze. Deine Eltern lieben dich, und mich auch, also dürfen wir sie nicht enttäuschen. Sie erwarteten von dir, daß du ein Studium abschließen würdest, irgendeinen Weg gehen, einen Status anstreben, und du hast sie vor den Kopf gestoßen. Deine Heirat war für deine Eltern die letzte Hoffnung. Glaubst du nicht, Rolf, daß ich irgendwie verkehrt bin? Du bist nur unreif! Wie wird man reif? Man reift langsam heran, sagt er, und dann fotografiert er mich mit und ohne Kopftuch, uns beide mit Selbstauslöser, und er sagt, daß er es sehr weit bringen kann. Wie weit? Zum Beispiel kann ich Generaldirektor der VÖEST werden! Ja? Mit deiner Unterstützung werde ich jedes Ziel erreichen, so hoch es auch gesteckt ist.

Die Frau braucht einen Mann, und es geht uns gut. Er wird auf der Leiter immer höher und höher steigen, ich werde die Leiter festhalten, damit sie nicht umkippt. Wir werden Kinder haben, aber nur eigene, denn bei Adoption, sagt er, weiß man nicht, was für

Erbmaterial da ins Haus kommt. Eine Frau ohne Mann, was ist das schon? Er ist stärker. Dafür kann sie Kinder machen. Und ob wir von Blutkreislauf, Leber und Nieren zu einem sinnvollen Leben befähigt werden, oder ob wir leben müssen im Sinne von Blutkreislauf, Leber und Nieren, das sind Fragen, die man sich nicht zu stellen hat. Wo kämen wir hin, wenn wir alles umdrehten? Grübeln führt zu nichts. Man sollte sich freuen, daß man lebt. Andere Kinder wären froh, wenn sie . . .

Weil ich noch nie in einem Kasino war, macht Rolf mir die Freude, und er wechselt fünfhundert Schilling. Wenn die fünfhundert verbraucht sind, hören wir auf, ausgemacht? Ausgemacht. Obwohl. Aber Rolf kennt die Geschichte von meinem anderen Großvater, über den nie gesprochen wird, weil er einige Häuser verspielt hat. Wir gehen spielen. Zum erstenmal, seit der Heirat, *wir*. Unsere Pässe werden geprüft, niemand merkt uns an, daß wir nur zum Vergnügen hier sind, wir müssen unterschreiben, daß wir keine Kasino-Angestellten sind und für alle Zeiten darauf verzichten, jemals in diesem Kasino zu arbeiten. Die Croupiers haben schöne Gesichter. Vielleicht ist jedes Gesicht schön, wenn es ernst ist?

Rolf führt mich von Tisch zu Tisch. Im Park sind Hunde ja auch an der Leine zu führen. Rolf erklärt Rot und Schwarz, Gerade und Ungerade, das ist kinderleicht, er erklärt das Außergewöhnliche an Zero, da möchte ich auf Zero setzen, aber Rolf sagt, Zero hat keinen Sinn, man setzt überhaupt nicht auf Zahl, wenn man so wenig Geld hat wie wir, da kommt Zero, ich habe es ja gewußt, ich bin gar nicht überrascht, und jetzt natürlich die Siebzehn, ich weiß, daß die Siebzehn kommt, sie ist auffällig unter allen Zahlen, ich weiß, daß jetzt die Siebzehn kommt! Rolf möchte nicht schon wieder Streit haben, ich auch nicht, also setze ich nicht. Die Siebzehn kommt. Hut ab vor dem Spieler! Was hat einer wie Rolf hier verloren, der von einem Tisch zum andern geht und immer auf Nummer Sicher? Was er hier einsetzt, bekommt er dort wieder zurück. Ich hasse ihn. Er findet mich undankbar, und wir schleichen hinaus, man muß sich ja schämen, mit so jemandem wie Rolf unter lauter richtigen Spielern.

Zurück über Genua, Mailand. Es gibt kein Milano. In Florenz hätte ich mich verstecken sollen, wenn es mir nur rechtzeitig eingefallen wäre. Michelangelo hat von Brot, Wein und Käse gelebt. Das war vor der Erfindung der Vitamine. Im Gebirge weiden Lämmer, über Felsen flitzen Eidechsen, man sieht ihr schillerndes Grün.

Beruf: Hausfrau, steht in meinem neuen Paß. Schnecke hätten sie besser geschrieben. Schnecke. Haare: gefärbt. Augen: braun. Besondere Kennzeichen: Keine, steht im Paß. Und ob. Man sieht sie nur nicht auf den ersten Blick. Besondere Kennzeichen: schlampig, ungerecht, undankbar, untüchtig, unrealistisch, unfroh, unzufrieden, faul, frech. Tisch decken, Tisch abräumen, Geschirr spülen, einkaufen, kochen, Tisch decken, Tisch abräumen. Geschirr spülen. Was koche ich zum Abendessen, dreihundertfünfundsechzigmal im Jahr die Frage: Was koche ich zum Abendessen? Sein oder Nichtsein, ob's edler im Gemüt, was kosten jetzt die Tomaten? Das mußt du doch wissen, ob jetzt Tomatenzeit ist oder nicht. Natürlich haben wir Geld, aber gerade wer Geld hat, muß wirtschaften lernen, es fällt dir kein Stein aus der Krone, wenn du dich ein bißchen dafür interessierst, geh auf den Markt, vergleich die Preise und Angebote, du sagst ja selbst, daß du dich langweilst, ruf Hilde an, sie soll dich beraten, Hilde wäre eine Freundin für dich, befreunde dich mit den Frauen meiner Freunde! Er hat recht, er bringt das Geld, weiß, was die Israelis mit den Arabern falsch machen, weiß, warum die Streiks in England andauern, weiß, was er zu tun hat und was ich daher zu tun habe, dafür bin ich wieder frigid, Gerechtigkeit muß sein.

Der Gemüsehändler verbeugt sich. Frau Diplomingenieur, bitte, danke, Frau Doktor, küß die Hände, auf Wiedersehen! Darf ich der Gnäfrau die Tür aufhalten? Ich bin nicht ich. Ich bin Rolfs Frau. Früher hat mir keiner die Türen aufgehalten. Früher kaufte ich auch kein Gemüse. Meiner Mutter halten sie auch überall die Türen auf. Großmutter sagt, das ist so, wenn man die Gattin von einer Kapazität ist. Der Delikatessenhändler und seine Frau empfangen meine Mutter immer mit besonderer Liebenswürdigkeit. Sie ist so zerstreut. Will Milch kaufen, und der Delikatessenhändler steht an der Kassa, auf der er sich so oft verrechnet, schluckt gleich, wenn er sagt, was alles wieder frisch gekommen ist für den Herrn Gemahl, die Kapern, ganz groß, die spanischen Muscheln, in ganz feiner Sauce, und meine Mutter nimmt alles mit, weil die Frau des Delikatessenhändlers schon den Gitterkorb anzufüllen beginnt, alles für den Herrn Medizinalrat, der so ein Feinschmecker ist, und Mutter nimmt die frischen Bananen und das Bündnerfleisch und alles, was ganz frisch gekommen ist, mit nach Hause, und der Delikatessenhändler tippt wollüstig den Kassastreifen voll, und meistens muß Mutter dann zu Hause die Putzfrau fortschicken, weil sie das, was sie kaufen wollte, vergessen hat, und gegen den

34

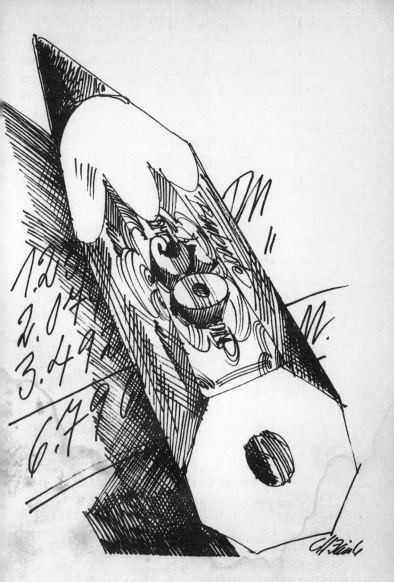

Gerade wer Geld hat ...

... muß wirtschaften lernen. Gerade wer wirtschaften gelernt hat, hat Geld. Wer gerade mal Geld hat, kann sowieso nicht wirtschaften. Wer gerade wirtschaftet, hat kein krummes Geld.

Delikatessenhändler darf sie nicht aufmucken, er ist doch Privatpatient, und sogar das Wildbret muß sie dort manchmal kaufen, obwohl Vater sein Rehfleisch selbst schießt und zum Teil aus der Wildbrethandlung geschenkt bekommt, weil die Kusine der Frau des Delikatessenhändlers mit dem Delikatessenhändler verfeindet ist, und sie macht das mit Absicht, daß sie uns Wildbret schenkt, damit er seines nicht los wird. Man müßte die Familien viel mehr gegeneinander ausspielen, hat Rolfs Mutter gesagt, aber meine Mutter merkt nicht, daß etwas gespielt wird. Sie wundert sich nur, daß sie immer so vollbeladen nach Hause kommt, wenn ihr die Milch ausgegangen ist.

Und welches Waschpulver? Muß ich heute Maresi kaufen, weil es auf der schwarzen Tafel unter «Ankündigungen» mit Kreide aufgeschrieben steht? Heute ist Maresi billiger, nur bis morgen. Ich verstehe jetzt den Sinn der Werbung. Es gibt ja so viele Angebote, und man muß sich frei entscheiden können. Das ist eine Wissenschaft. Der Salat ist auch nicht immer gleich teuer, und es gibt Saison für Paprika und Zeiten, zu denen man Paprika nicht kauft. Ich wußte so wenig. Zum Beispiel wußte ich nicht, daß man das Holzbrett mit Wasser abspült, bevor man die Zwiebeln schneidet. Großmutter sagte es mir: Damit kein Geruch im Holz bleibt. Von Thymian, Rosmarin, Zimt, Majoran, Nelken immer nur eine Spur, man darf nichts herausschmecken, den Knoblauch mit dem Messerrücken zerdrücken, immer mit Salz, und vorher natürlich schälen, und ein breites Messer für den Knoblauch, und die Zitronen nicht wegwerfen nach dem Auspressen, Zitronen immer in Reichweite für schmutzige Hände. Der Hausfrauenhand darf man es nicht ansehen, daß sie gearbeitet hat. Petersilie in ein Wasserglas stecken, sparen lernen, und keine Konserven, sagt Großmutter, das ist alles Gift, immer Natur, Schmierseife ist die beste Seife, hartes Brot aufbewahren für Brösel, in Säckchen geben, ordentlich beschriften. Am Abend gehe ich mit dem Kochbuch schlafen, das sie mir geschenkt hat. Es ist eine gutbürgerliche Sammlung von Kochrezepten der staatlichen Bildungsanstalt für Koch- und Haushaltsschullehrerinnen und der Kochschule für Gastwirte in Wien. Ein unentbehrliches Hilfs- und Nachschlagebuch für Leitungen und Hilfskräfte häuslicher und gewerblicher Klein- und Großküchenbetriebe, steht auf dem vergilbten Innenblatt.

Zu Mittag herrschte immer Nervosität, die aus der Stimme und den Gesten meiner Mutter spürbar wurde, wenn Vater sich an den Tisch gesetzt hatte. Mutter nahm die Fleischstücke aus der Pfanne. Ich reichte ihr Vaters Teller. Gemurmel. Kleiner Ärger. Zweifel, Zögern. Dieses Stück für Vater? Nein, für Vater das magere. Er mag kein Fett. Wer sagt, daß ich kein Fett mag? Warum gibt es keine Suppe? Also, sagte Mutter, wenn ich zu diesem Fleisch eine Suppe mache, dann fragst du, warum ich eine Suppe gemacht habe. Und wenn es keine gibt, dann fragst du, warum ich keine Suppe gemacht habe! Ein Löffel Suppe wäre nicht schlecht, sagte Vater dann bescheiden, und Mutter fühlte sich schuldig. Immer schwebte ein Damoklesschwert über ihr, und so war es an allen Mittagen, und Resignation, wenn Vater nicht aufaß, Ratlosigkeit und Verzweiflung, wenn er wortlos den Teller zurückschob und erklärte, er sei nicht hungrig. Aber an Mittagen, wenn Vater gut gelaunt war, gab es das gleiche mit witzigen Zwischenbemerkungen. Das Segelflugzeug! Mutter verteidigte sich zuerst. Sie könne nichts dafür, die Gans

36

sei zu mager gewesen. Auch zu alt. Du hast sie eben zu lange im Rohr gelassen und zu wenig aufgegossen. Also los, essen wir. Mutter zerkleinerte die trockenen Stükke, es fiel immer wieder das Wort Segelflugzeug, und als Mutter merkte, daß Vater ihr schon längst verziehen hatte, lachte sie mit, und wir tranken Wein, und andere Späße gab es noch: Ist das eine Ente? Nein, eine Gans. Segelflugzeug? Wenn ihm danach zumute war, konnte Vater viel Glück in Mutters Gesicht zaubern.

Gib doch dieses Buch weg, sagt Rolf, Kochen lernt man nicht aus Büchern, nur durch Erfahrung. Blätterteig ist seine Lieblingsspeise. Zwiebelsuppe ist die einzige Suppe, die ich tatsächlich kochen kann. Er mag Zwiebelsuppe nicht. Und es ist noch nichts geschehen heute. Ich habe gewartet. Nach dem Abendessen war wirklich der Tag zu Ende. Ich habe das Geschirr in die Küche getragen, das Tischtuch eingerollt und über dem Geländer des Küchenbalkons ausgeschüttelt. Es geht mir gut. Andere Frauen haben keinen Küchenbalkon. Rolf schiebt seinen Arm unter meinen Nacken, er kommt näher, es ist so still, alles so schwarz und still, er kommt ohne Gesicht, aber ich weiß, daß er es ist, ich kann nicht, er kann trotzdem. Wenn die Natur die Männer so zimperlich gemacht hätte wie die Frauen, dann wäre die menschliche Rasse längst ausgestorben. Er schläft jetzt gut, wenn ich ihm auch nicht Languste war, nur Faschiertes.

Wie er den Zucker in die Tasse wirft, umrührt, den Löffel auf den Teller legt, die Tasse hebt, trinkt, wie er die Brille poliert und aufsetzt, die Tasse in die Küche trägt, Wasser rinnen läßt, die Tasse ausspült, wie er den

Mantel nimmt und die Aktentasche, die Tür aufschließt und hinter sich schließt, und wieviel Zeit ich habe, das zu sehen, jeden Morgen.

Einmal wollte ich ja, wollte etwas tun, ich war aus gutem Haus, ich würde immer ein gutes Haus haben und gut sein, es hatte alles seine Richtigkeit, wie wir lebten, was Vater, Mutter taten, jeder tat eben das seine, und ich lernte lesen und schreiben, im Kindergarten war es so langweilig gewesen, aber die Volksschule hochinteressant, und dann die Matura. Es war alles abgesteckt und gut vorgezeichnet. Wenn du Matura hast, beginnt das Leben. Aber was fängt man an mit so viel Freiheit? Ein Semester schenke ich dir, sagte Vater, verbummle es, schau dich um in Wien, und dann entscheide dich. Eines aber sage ich dir schon jetzt, sagte Vater, das einzige wirklich befriedigende Studium ist die Medizin. Also Medizin. Und nicht Schauspielerin oder Verkäuferin oder Journalistin. Medizin ist der Weg, und da rutsche ich aus, weil ich die Leichen im Seziersaal nicht als Lernobjekte benützen kann. Ich kann das nicht, im Bauch unter den Gedärmen den richtigen Darm herauswühlen, ich kann den Schädel der alten Frau, der auf dem Tisch liegt, nicht häuten, ich sehe nur gelbe Füße und Leichentücher, ich mag die Witze der Studenten nicht, sie mögen mich auch nicht, sie nennen mich Jungfrau aus der Provinz, also was willst du tun, sagte Vater, ich warte auf deine Entscheidung. Vielleicht Dolmetscher. Vater ist enttäuscht. Wir hätten schon die Unterschrift geübt, meinen Vornamen und den Familiennamen, den ich von Vater habe, mit Doktorat, das haben wir einen ganzen Abend lang geübt, wie man mein zukünftiges Doktorat am besten in einem flotten

38

Zug mit dem Vornamen verbindet. Ich habe einen un-
günstigen Anfangsbuchstaben bei meinem Vornamen,
wir brauchten lange, um uns zu einigen, und Vater
sagte, ich sollte das Doktorat gleich mit dem Familiennamen verbinden, und hinten das Kürzel für meinen
Vornamen dranhängen.

Als Dolmetscher bekommst du kein Doktorat, nur
ein Diplom. Genügt dir das wirklich? Ganz plötzlich
war ich in die untere Klasse gerutscht. Wenn ich bei den
Kollegen saß, nannten sie mich Frau Kollegin. Durfte
ich zu denen gehören? Sie waren doch alle zweitklassig.
Sie wollten auf Konferenzen dolmetschen und nachsa-
gen, was andere sagten. Ohne Doktorat. Wie konnte
man so leben wollen? Also inskribierte ich Germani-
stik. Wir zerhackten ein Goethe-Gedicht nach den Re-
geln der Metrik. Da fiel mir ein, daß Goethe die Germa-
nistik nicht gebraucht hatte, um sein Gedicht zu machen. Was studierte Goethe? Also Rechtswissenschaft.
Da tritt Rolf dazwischen, liebt mich und findet, eine
Frau habe keine Chancen, lieber etwas Weibliches.
Schauspielerin möchte ich werden. Schauspielerin ist zu
unsicher. Einen Brotberuf. Lehrerin. Nein, ich will keine Lehrerin werden. Warum nicht? Ich kann mich doch
nicht hinstellen vor die Kinder und so tun, als wüßte ich
mehr als sie. Ich kann doch nicht dreißig Kinder auf
einmal erziehen. Was gibt es noch für Berufe, bei denen
die Frau eine Chance hat, ohne aufzuhören, eine richtige Frau zu sein? Das ist so schwer. Malerei vielleicht?
Kein Brotberuf. Ja, du machst nette Zeichnungen, das
solltest du pflegen, aber als Hobby. Merke dir eins,
mein Kind: Man soll sein Hobby nie zum Beruf machen. Dann wird es einem nämlich verleidet. Rolf interessierte sich doch so fürs Radiobauen und Schiffekon-
struieren. Jetzt studierte er Technik, und es hing ihm

längst zum Hals heraus. Also wollte er wenigstens den Doktor der Technik machen, zum Diplomingenieur dazu, um der Sache mehr Reiz zu geben.

Ich merkte, daß mir der kleine Motor fehlt, den sie alle eingebaut haben, mir fehlt etwas ganz Wichtiges, das, was die anderen so schnell macht und so fleißig. Der Ehrgeiz? Aber ich wollte doch auch einmal etwas tun. Ich war lernbegierig, und irgendwann im Gymnasium hat das aufgehört, irgendwann ist der Motor herausgefallen, und ich habe nicht mehr zugehört, wenn der Lateinprofessor etwas erklärt hat, ich habe nur mehr so gestaunt über die Ruinen, die er im Mund sitzen hat, und ob seine Frau das aushält, wenn er sie küßt, ob ihr da nicht graust vor soviel Speichel und Geruch, und dann bin ich zum erstenmal sitzengeblieben. Nicht äußerlich. Ich habe die Matura irgendwie erschwindelt, es kann nicht mit rechten Dingen zugegangen sein, daß ich plötzlich wie alle anderen das schwarze Kleid und den schwarzen Zylinder trug und auf dem Leiterwagen durch die Stadt fuhr als Maturantin unter den Maturanten des damaligen Jahrgangs. Ich war innerlich sitzengeblieben. Und Rolf hat den Teig genommen und so lange geknetet, bis er mürb war. Ab in den Ofen, überbacken, und auf einmal ist es ernst mit der Hochzeit und mit dem Ernst des wirklichen Lebens.

Du mußt lernen, sagt Gerlinde, wir waren in einem ungültigen Jahrgang, wir haben alle keine Matura, wir müssen noch einmal die Schularbeiten machen und die Prüfungen, aber ich habe doch alles vergessen, du mußt es noch einmal lernen, sagt Gerlinde, ich hab dir doch so viele Privatstunden gegeben! Bist du wirklich so dumm gewesen oder hast du dich so gestellt, du mußt die

Matura doch machen, was sagen denn deine Eltern, wenn du heimkommst ohne Matura, und ich habe doch alles vergessen, aber Gerlinde steht neben mir, sie ist eine Streberin, sie hat alles im Heft und im Kopf auch. Dann sind wir in einer Jugendherberge, Gerlinde muß zum Arzt gehen, ihr ist nicht gut, sie kommt zurück und sagt, jemand hat versucht, ihr Essen zu vergiften, ich komme als Täterin in Frage, mein Verteidiger ist der Lateinprofessor, er hört sich an, was ich vorbringe, ich sage, daß ich Gerlinde nicht mag, obwohl sie meine beste Freundin und Helferin in Latein ist, aber ich wünsche ihr den Tod. Ich sage, ich wäre froh, wenn sie vergiftet worden wäre, trotzdem war nicht ich es, die das Gift ins Essen gestreut hat, ich schwöre es, und der Lateinprofessor verhält sich neutral, er sagt, auf den Stoff kommt es an, und ich sage, ich habe keine Angst, verurteilt zu werden, weil ich mich freue, daß jemand den Mut gehabt hat, Gerlinde zu vergiften. Aber wenn Gerlinde stirbt, stirbt doch auch Rolf, weißt du das nicht, sagt jemand, und dann wache ich auf, und Rolf lag nach solchen Träumen neben mir, und es war ein Glück, daß er noch atmete und ich mich an ihm festhalten konnte, und Gerlinde studiert irgendwo Latein und Deutsch, sie wird bald selbst unterrichten, meine Kinder werden es gut bei ihr haben, wir waren ja immer so gut befreundet.

asdf jklö asdf jklö, das werde ich üben mit dem kleinen Finger und dem Ringfinger und dem Zeigefinger und auch dem Mittelfinger, der so ungeschickt ist, weil er zu lang ist, aber Rolf hat bald Geburtstag, und dann überrasche ich ihn damit, daß ich mit der Schreibmaschine umgehen kann.

Ich übe auf Großvaters Maschine, in Großmutters Küche, da sind wir ungestört, hier hat Großvater seinen Apfel mit dem Taschenmesser zerschnitten, Schwarzbrot und Apfel zur Jause. Großmutter sagt, daß der Großvater blind schreiben konnte, sie hat das selbst überprüft und ihm die Namen der Gassen diktiert und ihm die Augen zugehalten, und am Anfang hat sie geglaubt, er schwindelt, aber dann hat er ihr gezeigt, daß es so leicht ist wie das Klavierspielen, und das konnte sie nicht überzeugen, denn sie konnte sich ja auch das Klavierspielen nie richtig erklären. Er war ein seltsamer Mensch. Im Hof hatte er eine Kiste mit einer Tomatenplantage, und er goß jeden Tag, nicht zuviel und nicht zuwenig, und über Mittag saß er gern draußen, um zu sehen, wie sie wuchsen, und eines Tages fand er die Staude leer. Es waren ja nur zwei, sagt Großmutter, und schließlich sind Tomaten zum Essen da. Der Großvater war böse, weil er etwas anderes hineingelegt hatte in die Paradeiser, man sagt nicht Tomaten, sondern Paradeiser, schrie der Großvater, denn das war zu der Zeit, wo viele Leute in der Stadt anfingen, Kartoffeln zu sagen statt Erdäpfel, und die Großmutter versteht bis heute nicht, warum er die Tomaten gezüchtet hat, wenn sie sie nicht essen durfte. Da steht noch der Koksofen, und überm Eßtisch hängt ein Tierschutzkalender und ein Kalender vom SOS-Kinderdorf. Gerahmte Fotografien meiner drei im Krieg gefallenen Onkel. Hier ist alles richtig, und es muß etwas Höheres geben, sagt Großmutter, einen höheren Willen und ein Jenseits, denn sonst wären ihre Söhne ja sinnlos gestorben. Großmutter steht jeden Morgen um sechs auf, wäscht sich gründlich, will nicht das moderne Badezimmer benützen, sie hat ihre Porzellanwaschschüssel und die Waschlappen, sie beichtet ihre Sünden, das sind immer die gleichen, also Unmäßigkeit im Essen und manchmal Fleisch am Freitag. Der Pfarrer weiß das schon und erteilt die Absolution bereits, wenn Großmutter mit dem Aufzählen anfängt, wieviel sie am Sonntag gegessen hat, obwohl sie schon satt war. Der Pfarrer hat vor kurzem gesagt, Fleisch am Freitag ist jetzt keine Sünde mehr, aber sie beichtet es trotzdem, sicherheitshalber. Einmal im Monat kommuniziert sie, betet auch für Vater und Mutter, weil sie keinen Glauben haben, jetzt auch für Rolf und mich, und dann kocht sie das Mittagessen, da riecht es im ganzen Haus so gut, daß Vater enttäuscht ist, wenn er sich an den Tisch setzt, weil es Großmutters Gulasch war, was er gerochen hat. Und nach dem Essen legt sie sich hin, hat einen guten Schlaf, läßt sich nicht stören vom Straßenlärm, sie sagt, man gewöhnt sich daran wie der Hund an die Schläge, und auf der weißen Kredenz stehen Gefäße mit heiligem Wasser aus Lourdes, und die Weinende Muttergottes hat sie auch einmal gesehen auf einer ihrer Reisen zur sizilianischen Freundin Amalie, die, die immer die Briefe schreibt mit den Rechtschreibfehlern; aber eine gute Haut. Großmutters Küchenfenster gehen auf den Hof. Der Himmel hat jeden Tag eine andere Farbe, und wenn man die Glokken der Johanneskirche hört, bleibt das Wetter schlecht. Auf dem Eiskasten stehen Porzellanbirnen in einem Porzellankorb auf einem Deckchen, weil alles geschont werden muß. Abends setzt sie sich in den Ohrensessel in unserem Fernsehwohnzimmer, das Vater Herrenzimmer nannte und später Bibliothek, aber wir sagen einfach das Fernsehwohnzimmer, da legt sie die Füße, die in wollene Hausschuhe geschnallt sind, auf einen Schemel, hört und sieht Schreckliches aus anderen Welten, dankt ihrem Herrgott für das zufriedene Leben, das sie hat, obwohl sie doch damals, nachher, also wie heißt das, ja, nach der Kapitulation, den russischen Klub führen mußte im Kaffeehaus. Der Großvater hatte damals ja noch das Kaffeehaus, nicht wahr? Und ich habe ins Telefon gefragt, sagt Großmutter, wie sie mich angerufen haben wegen dem russischen Klub, ob das eine Ehre ist für mich oder eine Strafe. Aber sie haben mir nichts getan. Die russischen Besatzer haben ohne Servietten gegessen, und nur die intelligenteren mit Besteck, sagt sie, die anderen Russen haben die abgenagten Knochen über die Schulter auf den Boden geworfen. Der jugoslawische Kriegsgefangene schreibt ihr noch heute jedes Jahr zu Weihnachten eine Karte. Er mußte in Großvaters Sodawassererzeugung mithelfen, weil die Männer alle im Feld waren. Den Jugoslawen hat sie auch schon einmal besucht in seinem neuen Heimatort. Seine Leute nahmen ihn nicht mehr auf, weil er den Deutschen mit erhobenen Armen entgegengelaufen war. Seine Freunde waren Partisanen, sagt Großmutter, da hat der Duzan es dann schwer gehabt. Seine Frau war schon mit einem anderen Kerl zusammen, und sie sagte: Bring ihn um, den Verräter. Dabei war der Duzan nur ein armer Schneider. So gut hat sie ihre Dienstboten immer behandelt, daß alle, die noch leben, heute noch gern zu ihr kommen. Und auf dem Sparbuch liegen zwanzigtausend Schilling, das weiß niemand. Die hat sie gespart. Die werde ich einmal bekommen, abzüglich Begräbniskosten, und den Ring auch, den der Großvater ihr gekauft hat. Wenn es einmal soweit ist, sagt sie, und verrate nichts, die Tante Grete wartet nämlich auf den Ring. Mein Leben war, wie gesagt, ein Roman, sagt Großmutter, und Vater sagt auch, daß sein Leben ein Roman war, und Mutter sagt auch: Mein Leben war ein Roman. Ob ihr der Großvater nicht manchmal auf die Nerven gegangen ist, möchte ich von Großmutter wissen. Er hat seine Bleistifte immer säuberlich gespitzt, sagt sie, und einen neben dem anderen liegen gehabt, jeden Radiergummi aufbewahrt, und alles hat Ewigkeitswert bei ihm gehabt, da gab es keine Verschwendung, der Großvater war ein Charakter. Nur jähzornig. Einmal hat sie die Schlafzimmertür versehentlich von innen zugesperrt und den Schlüssel nicht sofort gefunden, da hat er mit seinem Stiefel gleich die Tür eingetreten.

Großmutter hat eine Schatulle, in der zuoberst ein Zettel liegt. Alle meine besonderen Briefe: Mit Andacht zu lesen, dann erst verbrennen. Ich habe nichts gefunden als einige Kassenblöcke aus der Kaffeehauszeit, darunter Großvaters Kurrentschrift, fast nicht mehr entzifferbar, er benützte einen harten violetten Bleistift. Schreibt, daß er sich für irgend etwas entschuldigen möchte, weil er Großmutter noch braucht. Ein Brief, den ich ans Christkind geschrieben habe und in dem ich so tue, als wünschte ich mir ein Schutzengelbild. Das habe ich doch nur geschrieben, um auf Großmutter einen guten Eindruck zu machen, weil ich oft hörte, wie sie meine Eltern überreden wollte, mich in ein Klosterinternat zu stecken. Liebes Christkind, schrieb ich, bitte, wenn Du einmal nach Linz kommst, nimm meine große Puppe mit zum Puppendoktor. Ein Schutzengerlbild würde mich sehr erfreuen, wenn es ober dem Bett hänge. Stille Nacht, Heilige Nacht, schrieb ich noch dazu und klebte ein pastellfarbiges Bild von der Heiligen Familie auf der Flucht vor Herodes aufs Kuvert. Mit Puppen spielte ich nicht gern, die gingen alle irgendwie kaputt. Wenn ich wieder einmal Puppen zerlegte, sagte Großmutter: Sie ist kein Mädchen. Also schrieb ich das mit dem Puppendoktor, und das ganze

Christkind hatte ich auch längst durchs Schlüsselloch gesehen, auch den richtigen Storch in den verbotenen Büchern aus der Ordination, aber auf Großmutter machte mein Brief einen großen Eindruck, und auch auf mich. Viel lieber hätte ich mir kurze Haare gewünscht, aber ich mußte Zöpfe tragen, weil meine Mutter als Kind so gern lange Haare gehabt hätte, und die Prügel-mutter schnitt ihr jeden Monat wieder alles weg, was nachgewachsen war.

Andere Briefe sind aus Sizilien. Von Amalie, Groß-mutters Freundin aus der Volksschulzeit. Amalie war das Kind einer Steiermärkerin und eines italienischen Gastarbeiters. Sie wurde nach Sizilien geschickt, um im Haushalt eines Grundbesitzers die Wirtschaft zu füh-ren. Der Grundbesitzer und seine Frau waren miteinan-der unfruchtbar, also machte er der Wirtschafterin drei Kinder. Als die Frau starb, heiratete er die Wirtschafte-rin, um seine Kinder als Erben einsetzen zu können. Und starb sofort. Die Kinder erbten und behielten die Mutter als Wirtschafterin. Großmutter findet, daß das ein Skandal ist. Sie fährt jedes Jahr nach Sizilien, um die Mali daran zu hindern, wieder irgendwelche Erklärun-gen zu unterschreiben, die man ihr hinlegt, während man ihre Brille versteckt.

Hast du schon wieder etwas unterschrieben? fragt Großmutter gleich bei der Ankunft, und die Amalie leugnet zuerst, dann gesteht sie. Großmutter schaut überall nach, um Beweise zu finden. Aber die Söhne des Grundbesitzers sind Rechtsanwälte, und denen ist nie etwas nachzuweisen. Großmutter bringt auch die rich-tigen Medikamente für ihre Freundin mit, gegen Zuk-ker, Wasser in den Füßen, gegen Gicht und Vitaminta-bletten für die vielen armen, dürren Hunde, die um das Haus streunen. Vater hat ein neues pharmazeutisches

Präparat gegen Hirnverkalkung, das wollte er erproben, und er gab es Großmutter mit, als sie letztes Jahr nach Sizilien fuhr. Großmutter hat das ganze Präparat an die Hunde verfüttert, und Amalie hatte wieder einige Erklärungen unterschrieben, an die sich niemand erinnern wollte, sie konnte sich auch nicht erinnern, und die Hunde wurden immer frecher und gefräßiger, einmal fielen sie Großmutter an, als sie aus dem Haus ging, um die Signorine vom Tierschutzverein zu besuchen. Das war tragisch, hat Großmutter gesagt, und weil Vater bei ihrer Erzählung lachte, weil er einen guten Tag hatte, gerade zum Medizinalrat ernannt, das gab uns allen gute Laune, da sagte sie zu ihm: Du blöder Bub.

Es ist ja selten, daß Vater sich Großmutters Erzählungen anhört. Sie sind alle verwickelt und verästelt wie das Leben selbst. Kein Anfang und kein Ende. Vom Hundertsten ins Tausendste, immer den Faden verloren. Großmutter will ja nichts auslassen, was an Wesentlichem dazukommt, und am Schluß sitzt sie und fragt uns, ob wir wissen, was sie erzählen wollte.

Als wir noch Sonntagsfamilienausflüge machten, weil das Auto neu war und eine Seltenheit, da saß Großmutter vorne, Mutter und ich hinten, ich eng an Mutter gepreßt, weil Vater immer schneller fuhr, wenn Großmutter erzählte und erzählte, manchmal fuhr er sogar in Straßengräben, dann war Großmutter für ein paar Minuten ganz still. Und wenn Vater vergessen hatte, daß sie neben ihm saß, erinnerte sie sich an eine Geschichte, und so jeden Sonntag, bis alle Leute ein Auto hatten und Ausflüge machten. Da blieben wir dann daheim.

Liebe Hermine, schreibt Amalie, danke für Beileidschreiben und schwarze Socken und Tee. Pickpflaster hast du vergessen, auch Tausendguldenkraut und Taschenmesser für den Käshändler. Hat wieder nach dir gefragt. Roberto hat einen Sohn bekommen. Es grüßt dich deine Amalie aus dem heißen Süden.

So endet jeder Brief. Teile dir mit großem Leid mit, daß mein Mann gestern tödlich verstorben ist. Lach nicht, sagt Großmutter, sie ist eine arme Haut und sieht fast nichts mehr. Deutsch hat sie nie richtig gelernt in der Steiermark, weil sie ein einfacher Mensch war, und in Italienisch kann sie nur das Notwendigste. Nie lachen, hat Großmutter gesagt, über die einfachen Menschen. Schatulle zugesperrt. Obwohl ich noch gern gewußt hätte, was in den Briefen steht, die Vater von der Front geschrieben hat, wo er das Lazarett leitete. Diese Briefe haben wir alle vernichtet, sagt Großmutter.

Ich glaube es nicht. Du kannst es mir ruhig glauben, sagt Großmutter, ich lüge nicht. Und Mein Kampf? Warum habt ihr Mein Kampf aufgehoben? Das muß doch gefährlich gewesen sein, Mein Kampf aufzubewahren, als die Russen unsere Stadt besetzten! Das ist etwas anderes, sagt Großmutter, den habe ich auf dem Dachboden versteckt, wie alles, was einmal Seltenheitswert haben wird. Unser Mein Kampf ist ja die erste Auflage.

Als die Sowjets die Tschechoslowakei von der Dubček-Gesellschaft befreiten, da griffen viele Hände in unserer Stadt nach Mein Kampf und versteckten die schwarzen Bücher wieder auf dem Dachboden. Großmutter holte das Russisch-Lehrbuch vom Dachboden herunter und legte es auf den Küchentisch. Ihre Küchentür ist ja gleich die erste, wenn man ins Haus kommt, und wenn sie kommen, sagte Großmutter damals im August, dann zeige ich ihnen das Buch und sage: Ich nix Faschista, ich Katholika in Austria sempre. Weil so etwas immer hilft, es half auch in dem Bahnabteil zwischen Rom und Neapel, als die Mitreisenden sie böse anschauten und ihr keinen Platz geben wollten zum Sitzen und für den Koffer. Da zog Großmutter das große Goldkreuz unter der Bluse hervor und sagte: Io mamma dottore in Austria, io Katholika sempre. Da sprang der Italiener, der ein Messer bei sich hatte, sofort auf, stellte Großmutters Koffer in den überfüllten Gang und bot ihr sogar den Fensterplatz an.

Das goldene Kreuz zeigte sie auch, wenn sie in Sizilien schon knapp mit dem Geld ist und per Autostopp ein paar Wege für die Amalie macht. So wird sie nie vergewaltigt, und Vater war immer froh, daß sich Großmutter nur in Sizilien so aufführte. Bis er erfuhr, daß sie auch bei uns manchmal per Autostopp von einem Bauern zum anderen fährt, um frischen Speck und Eier zu holen. Ein Patient, der Großmutter einmal mitgenommen hatte, erzählte es in der Ordination. Ihre Frau Mutter, sagte er. Da gab es einen großen Krach. Einmal zu Weihnachten hatte Großmutter ein blaues Auge und Verletzungen im Gesicht. Sie war in einen Unfall verwickelt gewesen, hatte aber nie genau erzählt, wie sie in das Auto gekommen war. Der, der sie mitgenommen hatte, war ein Prolet gewesen, und Großmutter wich allen Fragen aus. Dann erfuhr Vater, daß Großmutter sich manchmal oder eigentlich fast täglich im Wartezimmer erkundigte, wer unter den Patienten als letzter drankommen würde. Wenn sich der letzte Patient meldete, wurde er von Großmutter zum Fleischhauer geschickt. Einmal war Vater früher fertig, und der letzte Patient kam atemlos die Stiegen herauf. Er erklärte sein mysteriöses Verschwinden, und Vater mußte ihn noch drannehmen, obwohl schon Ordinationsschluß war. Vater drohte Großmutter, seinen Beruf an den Nagel zu hängen, wenn sie nicht endlich begriffe, wie sie sich als Mutter eines Arztes zu verhalten hätte. Das weiß ich besser als du, sagte sie, du bist halt kein praktischer Mensch.

Führst du ein Tagebuch? Rolf lächelte. Warum sagst du nicht, daß du so was haben willst? Ich werde dir ein richtiges Tagebuch kaufen, mit Schlüsseln, dann kannst du deine kleinen Geheimnisse vor mir versperren. Hast du überhaupt Geheimnisse? Nein? Ist etwas passiert? Was schreibt man denn ins Tagebuch, wenn nichts passiert ist?

Bitte, lies.

Nein, du sollst deine Intimsphäre haben, Gott bewahre.

Er bringt mir seine Schreibtischlampe, damit ich mir nicht die Augen verderbe, schraubt sie fest, findet aber das Verlängerungskabel nicht. Wir müssen suchen. Es liegt unter der Schmutzwäsche im Korb. Er verzeiht mir, stellt das neue Licht auf den Tisch, fixiert es, fragt, warum ich ihn so ansehe und ob es mir nicht recht ist, daß er mir sein Licht leiht. Bleib nicht zu lange auf, es ist schon Mitternacht vorbei! Er kommt noch einmal aus dem Schlafzimmer, das Kofferradio unterm Arm, setzt sich hinter mich, wartet, trägt wieder den hellblauen Pyjama. Das Täschchen habe ich abgetrennt. Worüber denkst du nach? Vielleicht fällt dir heute nichts mehr ein, weil du müde bist? Warum kommst du nicht ins Bett?

Soll ich aufhören?

Nein, ich werde mir ein Buch holen. Ich werde lesen, während du schreibst. Ich finde es rührend, wie du so sitzt und aussiehst, als dächtest du über etwas Wichtiges nach. Er atmet auf, als ich das Schulheft zuschlage,

Tadelt mich, weil ich im Begriff bin, es zu zerreißen. Wir blättern es durch. Es ist aus der Volksschulzeit. Heimatkunde. Ich hatte damals eine runde Schrift. Nicht meine. Ich bewunderte Gerlinde, die so zügig schrieb, und ich malte die Schrift einfach nach. Später habe ich ein Mädchen mit enger, eckiger Schrift bewundert. Daher schrieb ich eckig. Dann schrieb ich wie Vater. Ich habe mir viele Handschriften bis heute bewahrt. Ich kann meine Schrift beliebig ändern, und vielleicht befindet sich meine eigene Schrift gar nicht unter den vielen, die ich verwende. Das kommt, sagt Rolf, weil du eben doch Beziehungen zu den Menschen hast, die um dich leben. Warum doch? Jetzt gesteht er, daß seine Mutter sich über meine Beziehungslosigkeit zur Umwelt beklagt hat. Ich gehe ins Bad, Rolf folgt mir, und ich habe Beziehung zur Zahnpasta, zur Zahnbürste, zu Mandelkleie, Feuchtigkeitscreme, Schwefelstein, eine starke Beziehung zu meiner Nagelbürste, zum Achselspray, der jetzt reglos auf dem Regal steht wie alle anderen kleinen Freunde im Badezimmer, und vorhin haben sie noch über mich gekichert. In einem Film war ein Mann, der fuhr mit seiner Pranke einfach über die vollen Regale der Frau, mit der er Kummer hatte, und er fegte alles auf den Badezimmerboden und starrte zufrieden in die ineinanderfließenden Kosmetika. Und auch in die Scherben. Ich tue nur Nützliches. Ich putze die Zähne und gehe noch aufs Klo, Rolf wartet, ich kämme mich noch und drücke den Mitesser aus, der ihn stört, ich darf keinen Lärm machen, die Nachbarn schlafen. Rolf sagt, in den Flaschen im amerikanischen Film waren nur gefärbte Flüssigkeiten. Ich schrumpfe zu einem bitteren Kern, der sich ausspucken möchte. Das werde ich morgen ins Wirtschaftsbuch schreiben.

Warum habe ich ein schlechtes Gewissen, wenn ich Karl besuche? Das Haus, in dem er mit seinen Eltern lebt, ist ärmlich. Küchengerüche schlagen einem schon an der Haustür entgegen, von irgendwo kommen die grunzenden Laute seiner Schwester, die gesund geboren wurde und an der man eine Gehirnhautentzündung übersah. Taub und stumm geht sie in der Küche auf und ab, mit bockigen Schritten, die Hände über der Brust gefaltet, knurrt, legt ihren Kopf auf die Schulter von Karls Mutter, will gestreichelt werden, und Karls Mutter fragt, ob sie mich noch mit dem Vornamen ansprechen darf, sie streichelt dabei den Scheitel der dreißigjährigen Tochter, sagt, daß die Kleine so gern schmeichelt und so viel Liebe braucht.

Karl ist oben, sagt die Mutter, er wird sich freuen, daß Sie gekommen sind. Aber Karl antwortet nicht auf mein Klopfen. Wenn er betrunken ist, nimmt er meist zwei Schlaftabletten, um sich für eine Weile fortzuschaffen. Ich bin nicht gekommen, um ihn zu fragen, wie Mondfischbrüste aussehen. Ich wollte wissen, was er meinte, als er einmal sagte: Du bist für mich wahrscheinlich, was für Caligula der Mond ist. Karl hat Sartre und Camus gelesen. Ich habe alle Briefe aufbewahrt, die er mir geschrieben hat. Ich war so stolz, daß einer mir Briefe schrieb, die so gescheit waren, daß ich sie nicht verstand. Ich klopfte wahrscheinlich auch viel zu leise. Ja, der Karl arbeitet viel, er ist vielleicht müde geworden und hat sich hingelegt, sagt seine Mutter, als ich mich verabschiede. Herzliche Grüße an Ihren Mann, ruft sie mir nach.

Meine Schwiegermutter strickt, immer strickt sie mit vorgeschobenem Kinn. Ihre regelmäßige Prothese, neu aus Linz, ist unpersönlich. Die vielen hellgrauen Zähnchen legt sie über Nacht in ein Glas Wasser. Immer wenn sie spricht, habe ich Angst, das Lächeln könnte ihr plötzlich herausfallen. Sie will, daß ich sie Mama nenne. Ich bin oft sprachlos vor Angst, wenn sie mich so anlächelt. Wie stehe ich dann da, wenn ihr alles herausfällt und nur ein Loch da ist? Wohin werde ich schauen? Früher einmal war sie Buchhalterin. Sie hatte damals schon diese schrille und anhaltende Stimme, so daß man, wenn man sie etwas fragte, es gleich bereute. Sagt meine Mutter, die oft mit Finanzamtsorgen zu ihr ging. Meine Schwiegermutter gibt gern Ratschläge, die sie in Drohungen verpackt. Sie verdunkelt jedes Problem, das man mit ihr aufhellen will, gleich mit wüsten Andeutungen auf alles, was einem zustoßen kann. Es heißt, daß Rolfs Vater sich seine Frau ins Büro setzte, wenn ein Geschäftsbesuch nicht und nicht gehen wollte.

Sie bestreicht ein gebähtes Weißbrot mit Butter und Zucker, weil Rolf ihr gesagt hat, daß ich genäschig bin. Mach dir keine Sorgen wegen der Pickel, die werden vergehen, wenn du erst ein paar Jahre verheiratet bist und Kinder hast. Iß nur. Sie strickt etwas Graues. Ihr Mann war auch so klein und grau. Er hatte hohen Blutdruck und mußte mit Gewürzen vorsichtig sein. Wenn sie beim Essen wegschaute, streute er schnell viel Salz auf sein Stück Fleisch. Nachts schlief er im Wohnzimmer, weil er dort die Füße hochlagern konnte. Wegen seiner Krankheit. Heißt es. Schwiegermutter strickt alles in die graue Wolle hinein. Sie sagt: Du solltest stricken. Sie möchte ein Zimmer vermieten, an eine nette Studentin, aber heute gibt es ja keine netten jungen Mädchen mehr. Außerdem gibt es hier keine Studentinnen, hat Rolf zu ihr gesagt. Sie ist empört: Wer ins

Gymnasium geht, ist ein Student. Und sie würde gern vermieten, um nicht allein zu sein. Rolf ist dagegen, weil es schlecht aussieht, wenn seine Mutter vermietet. Mein Mann schlürfte beim Essen, sagt sie, und er hörte gern Märsche. Du, du magst mich doch, sagt sie, wie sind deine Körpermaße, ich stricke dir einen schönen Pullover. Rolf wird Augen machen!

Ich erinnere mich an das Begräbnis meines Schwiegervaters. Wir hatten Lateinstunde. Der Lateinprofessor ging zum Fenster und ließ uns auch alle zum Fenster hinausschauen. Der Leichenzug kam direkt am Gymnasium vorbei, und da sah ich den Rolfi vorne gehen, mit seiner Mutter. Er war die wichtigste Person vom ganzen Begräbnis, weil er der einzige Sohn war und weil der Vater in ihm weiterlebte. Und es war so traurig, daß er jetzt nur noch eine Mutter hatte. Vielleicht habe ich ihn deswegen geheiratet? An einen Maiabend erinnere ich mich, da war Rolf schon so groß, viel größer auf einmal als vorher, unterm Fenster, und er hatte ein Fahrrad an den Marienbrunnen auf dem Stadtplatz gelehnt, und er und Albert und Karl, und andere aus seiner Klasse, die liefen um den Marienbrunnen herum. Warum? Jedenfalls stand Hilde neben mir, und sie zeigte auf Albert, und da zeigte ich auf Rolf, das war wie eine Abmachung. Damals wußte ich nicht, daß Albert ein Muttermal am Kinn hatte. Albert hatte gar nichts. Karl hatte auch nichts. Rolf hatte schon das Fahrrad, und ich durfte einmal auf der Stange sitzen. Da hat meine Mutter sehr geschimpft, aber mein Vater lächelte irgendwie zufrieden, und ich dachte: Jetzt bin ich verliebt. Mama strickte gerade einen schönen Tag aus ihrer Ehe ins Wollzeug hinein. Es war auf dem Pöstlingberg, und sie trug Rolf unterm Herzen, und unter ihnen lag Linz, das war nach dem Krieg, und ihr Mann hat ihr gestanden, daß sie die erste Frau war, mit der er überhaupt etwas hatte. Ich auch, sage ich, ich habe nur Rolf gehabt und vor ihm keinen. Siehst du, sagt sie, das findet man selten.

Den Lateinprofessor gibt es noch. Ich treffe ihn auf dem Stadtplatz, er sagt Gnädigste und zeigt mir einen Zettel, den er immer bei sich trägt. Darauf stehen alle Mahnungen und Nichtgenügend, die er verteilt hat im letzten Schuljahr. Er sagt, ich soll das vergleichen mit allen Mahnungen und Nichtgenügend, die seine Kollegen verteilt haben. Die stehen auch auf dem Zettel, und es kommt dabei heraus, daß er nicht der Strengste ist, sondern nur der Zweitstrengste. Ich weiß nicht, ob ihn das freut oder stört. Vielleicht trägt der den Zettel auch nur bei sich, um die langen Sommerferien zu überstehen. Ein Lungenkrebs wird ihm nachgesagt, und man will ihm die Pension oktroyieren. Aber er geht nicht in Pension, weil das, was heute von den Hochschulen kommt und unterrichtet, ja nichts mehr taugt. Heute wird doch schon jeder zu einem Hochschulstudium zugelassen. Sogar Arbeiter, wenn sie die Arbeitermatura machen. Können Sie sich vorstellen, sagt er, daß man zu einem Arzt geht, der früher Arbeiter war, diese Arbeitermatura gemacht hat, und vor so einem soll man sich ausziehen? Der Lateinprofessor trägt lederne Kniehosen und eine weinrote Jacke mit Silberknöpfen. Und warum soll ich einen Lungenkrebs haben, wo ich seit Jahrzehnten nicht mehr rauche? Er sagt, daß Rolf immer der beste Schüler war. Und Gnädigste haben ja schon als Gymnasiastin gewußt, daß Sie nicht geboren sind für das Akademische. Er küßt mir die Hand, und ich wünsche ihm baldige Pensionierung.

Schau, was ich dir gebracht habe!

Ich will keinen Hund.

Natürlich, so muß es ja sein. Rolf will mir eine Freude bereiten, indem er sich einen Jagdhund kauft, und ich wehre mich dagegen, in einer Wohnung ohne Garten ein Tier zu halten. Ich dachte, du seiest tierliebend, sagt er. Eben weil ich tierliebend bin. Aber nun hat er ihn schon gekauft, so einfach ist das: Geht und kauft, weil er etwas Lebendes haben will, und weil seine Frau ihm bis jetzt nicht verkündet hat, daß sie guter Hoffnung ist, und wir streicheln das braungesprenkelte Fell, versöhnen uns über den spitzen Zähnchen und der rosigen Zunge, über diesen mißtrauischen Augen unter Hundefalten, das Tier ist reinrassig, weil man das am Gaumen sieht, auch am Preis, und Rolf will ihn gut abrichten, und ich darf ihm einen Namen geben. Laurence? Laurence geht nicht, er muß mit B beginnen. Blitz? Wie kommst du auf Blitz? Da gab es einen Hund, der hatte ein Frauchen, aber kein richtiges Heim, und eines Tages wurde Blitz erschossen aufgefunden im Wald, und das Frauchen ärgerte sich, daß man ihr, wenn man schon den Hund, der ihr Besitz gewesen war, abgeknallt hatte, den Kadaver nicht früher gebracht hatte. Sie hätte sich gern einen Bettvorleger daraus gemacht. Also taufen wir ihn Blitz und machen alles wieder gut. Aber bitte verwöhn ihn nicht, sagt Rolf, und wenn du dich nicht freust, dann kaufe wenigstens jeden zweiten Tag Fleisch für ihn. Das ist doch nicht zuviel verlangt? Aber ich freue mich doch! Freust du dich wirklich? Ja!

Blitz winselt, wenn Rolf sich ihm mit der Leine nähert, eins, zwei, drei, Strafe muß sein. Bis so ein Vieh zimmerrein ist, heißt es nachhelfen. Er ruiniert uns ja den Fußboden. Verstehst du nicht, daß er parieren muß? Das geht nicht anders. Man kann mit einem Hund doch nicht diskutieren! Aber das begreifst du nicht. Hat Rolf auch nicht erwartet, daß ich seine Erziehungsmittel begreife. Ich soll das also ihm überlassen. Und der Hund ist noch so blöd, Rolfs Hand zu lecken, wenn die Züchtigung vorbei ist! Er wird demütig. Wedelt pünktlich und ausdauernd, stößt ein Glas um, wenn er neben dem Rauchtisch seiner Freude unvorsichtig Ausdruck verleiht, bekommt dafür gleich eins auf die Schnauze, ja, er soll es nur lernen, was macht man denn mit einem Hund, der dauernd Schaden anrichtet? Und zum hundertstenmal: Laß ihn nicht frei in der Wohnung herumlaufen, wenn du beschäftigt bist! Sag nicht wieder, daß das Tier einen Garten braucht. Mehr fällt dir ja nicht ein.

Blitz hat seinen ordentlichen Wohnsitz im Gästeklo. Auf einer alten Autodecke darf er schlafen. Mit der Leine an den Mauerhaken gebunden, darf er warten. Er freut sich, wenn jemand heimkommt. Man hört das Schwanzklopfen schon im Stiegenhaus. Wenn er ruhig liegenbleibt und nicht an der Leine zerrt, wird er zur Belohnung losgebunden. Aber er darf erst aus dem Klo kommen, wenn Rolf das Stichwort gegeben hat. Und wenn Rolf ihn losbindet und auf das Stichwort vergißt, dann sitzt der Hund und wartet. Hebt den Kopf, legt ihn schief, lauscht, legt sich nach einer Weile wieder hin. Bis man sich erinnert, daß es ihn gibt. Dann schießt er heraus, springt an Herrchen empor, wird freundlich getadelt, und du, du sei nicht sentimental. Ein Hund hat nicht die Gefühlsskala eines Menschen. Was sollten erst die Kanarienvögel in ihren Käfigen sagen? Sie sagen nichts. Eben.

Blitz fürchtet sich vor den Autos. Er sitzt klein und störrisch an der Hausmauer und zittert. Er fürchtet auch den Mann, der die Straße kehrt. Sosehr ich auch an der Leine ziehe und verharmlose, er wehrt sich, will nicht laufen, nur sitzen und zittern. Wo doch in der Gebrauchsanweisung steht, daß diese Rasse dreißig Kilometer am Tag zurücklegt. Außerdem hat er noch kein einziges Mal gebellt. Vielleicht ist er gar kein richtiger Hund? Er hat Blasenkatarrh und Mittelohrentzündung, aber Rolf sagt, er wird einen Hund aus ihm machen, ich soll mich nicht sorgen. Auf den Platz, Blitz! Blitz saust ins Gästeklo. Komm zurück! Er flitzt um die Ecke und sitzt schon wieder da. Auf den Platz! Er saust um die Ecke. Komm! Ist schon wieder da. Rolf merkt, daß Blitz schwindelt. Er saust nicht mehr bis ins Gästeklo, wenn ihm Platz befohlen wird, er saust nur hinter die Ecke und wartet dort, weil er weiß, daß ihm gleich wieder Komm befohlen wird. Wir sind beide stolz auf die Intelligenz unseres Kindes, aber Rolf muß trotzdem zum Erziehungsmittel greifen, weil Konsequenz alles ist.

Mein Mann wirft Wörter aus, und sie fallen dorthin, wo er sie haben will. Meine Wörter haben kein Gewicht. Sie schweben sichtbehindernd im Raum. Ich kann sie alle wieder einfangen. Hörst du zu, wenn ich mit dir rede? fragt Rolf. Ja. Woran denkst du? An das, was du sagst. Was habe ich gesagt? Daß ich dir heute abend keine Schande machen soll. Und? Daß ich nett sein soll mit Albert und Hilde. Und? Und gesprächig. Weiter? Daß ich den Armreifen nicht trage, den du mir geschenkt hast, und daß du bereust, mir den silbernen Bleistifthalter deines Großvaters geschenkt zu haben, weil ich ihn verschlampt oder verloren habe. Komm, sagt Rolf, laß dich küssen. Er streichelt und lobt mich, sei nicht so steif, küß mich richtig, knöpfe deine Bluse auf, sieh mir in die Augen. Man sieht rundherum das Weiße, ich habe aber diese Augen einmal geliebt, und ich bewahre ein Foto auf, da sitzt Rolf in einem Fauteuil im Wohnzimmer meiner Eltern, er lacht, seitlich, seine Nase habe ich so gemocht, sein verrutschtes Hemd, seine Manschetten habe ich gemocht. Ein richtiger Mann, dachte ich, und wenn ich im Zweifel war, ob ich ihn noch liebte, suchte ich das Foto heraus und wußte: Ja, den liebe ich. Küß mich! Früher hat er das nicht so grob gesagt, da tat ich es wahrscheinlich freiwillig. Ich stelle mir vor, wir spielen eine Filmszene. Das half immer. Wenn ich etwas angestellt hatte und vor den Eltern Rechenschaft und Reue ablegen mußte, dachte ich, daß ich ein Kinderstar bin, der seine Rolle spielt. Ton ab, Bild ab, siebenundzwanzigste Einstellung: Frau küßt Mann. Er knöpft sein bügelfreies und silanisiertes Hemd auf, wirft es auf den Boden, benimmt sich plötzlich wie ein Junggeselle, und ich denke nur daran, daß ich es waschen muß. Aber jetzt ist ihm das Hemd nicht wichtig, und die Haut zwischen meinen Schenkeln ist empfindlich. Was er tut, ist Leichenschändung. Ich denke noch immer, daß ich das Hemd dann wieder waschen und bügeln muß.

Später zieht er seine Armbanduhr auf. Das ist eine seiner Gewohnheiten, an der Schraube zu drehen, sein Daumen ist breit, er hält die Uhr gegen das Ohr, hört sich an, wie Zeit, Zeit, Zeit vertickt. Ein Tag hat vierundzwanzig, eine Stunde sechzig, mal sechzig, mal sechzig, sechsundachtzigtausendvierhundert Sekunden verticken jeden Tag. Wie viele Tage sind wir schon verheiratet? Er fürchtet sich nicht, daß uns etwas weglaufen könnte.

Was sollte ich fürchten?

Denkst du nicht manchmal, daß du blind werden

könntest auf einem Auge und dann denken wirst: Wieviel ließ es mich sehen!

Man sieht noch so halbwegs mit einem Auge.

Oder, daß du sterben wirst?

Das muß jeder.

Woran denkst du, wenn du an deinen Tod denkst?

An meine Lebensversicherung. Das willst du doch hören, oder? Du willst doch immer nur bestätigt haben, daß ich der Trottel bin, für den du mich hältst?

Als Karl noch Geschichten schrieb, las ich in einer: Und dieser Kuß schmeckte nur noch nach Fleisch. Es gab eine Zeit, da schmeckten Rolfs und meine Küsse nicht nach Fleisch. Wir fragten uns, ob man sich einen Kuß nähme, indem man ihn küßte. Ob jeder Mensch eine unbegrenzte oder eine begrenzte Anzahl von Küssen habe. Wir besprachen das, während wir uns küßten. Als ich noch seine Knöpfe aufknöpfte und er meine. Als ich ihn noch unterbrechen durfte beim Küssen, ohne daß er gefragt hätte: Was ist? Warum bist du so steif? Deine Theorie von den endlichen Küssen ist richtig, sagte er einmal. Denn wenn man immer nur küßte, würde man ja verhungern. Und wir küßten uns dafür sehr lange.

Es geschieht etwas, während wir essen, es pulst etwas in mir, ein Ton klingt, und Rolf legt die Gräten an den Rand seines Tellers, Hilde erklärt uns antiautoritäre Erziehung, Albert schweigt, und für ihn ist ein Kuß in meinem Mund. Hilde sagt, es kümmerte sie wenig, daß die Lehrerin die schlechte Schulschrift ihres Sohnes beanstande. Sie würde früher oder später ihrem Sohn eine Schreibmaschine kaufen. Albert hebt sein Glas und schaut mich an, aber er trinkt nicht. Hilde stößt ihn in die Seite: er soll auch etwas sagen. Albert gibt ihr recht.

Hilde will, daß Rolf zugibt, daß das, was er soeben über antiautoritäre Erziehung gesagt hat, falsch ist. Rolf sagt, an seinem Hund habe er festgestellt, daß die autoritäre Erziehung und so fort, bis Hilde beleidigt ist. Sie lehnt solche Vergleiche ab. Albert fragte nach meinem Sternzeichen. Meine Kinder sind schwierig, sagt Hilde. Sie meint: Ihr habt keine Kinder, also laßt euch lieber von einer erzählen, die etwas davon versteht. Ich frage Albert nach seinem Sternzeichen. Hilfe fragt, warum wir keine Kinder haben. Rolf antwortet elegant. Ich lächle zu Albert, daß ich keine Kinder haben will von Rolf. Er lächelt zurück, daß er in diesem Augenblick auch lieber keine Kinder hätte von Hilde. Rolf und Hilde geraten sich in die Haare, aber ohne ihre Frisuren zu zerstören. Es ist ein Streitgespräch pro forma. Wenn eine Frau beweisen will, daß sie nicht blöd ist, dann gibt man ihr die Chance, unter der Voraussetzung, daß es nicht die ist, mit der man verheiratet lebt. Hilde verlangt von Albert, daß er zugibt, was sie soeben unterstrichen hat. Albert gibt alles zu. Hilde sagt, nun habe er es endlich einmal zugegeben. Ich denke, daß ich mir bisher viel zuwenig Gedanken über Sternzeichen gemacht habe. Vielleicht ist etwas dran. Wir nicken alle, als Hilde erklärt, daß Kinder erst die Frau zur Frau machen. Rolf macht eine kleine Einschränkung, aber er läßt Hilde siegen. Hilde als Gast ist Königin. Ein gelungener Abend. Ich habe Rolf keine Schande gemacht. Als Hilde und Albert fort sind, hilft er mir beim Tischabräumen und verteilt Plus- und Minuspunkte. Plus: Ich war hübsch. Minus: Ein bißchen zu still. Plus: Du hast Hilde ausreden lassen. Minus: Mit Albert hast du aber gar nicht gesprochen. Minus: Hilde kleidet sich besser als du. Minus: Warum haben wir keine Kinder? Rolf ist beschwipst, er will mich lieben, das Essen war auch so schwer, das ist keine Kritik, das ist ein Motiv, und er irrt sich fast nie, aber hier irrt er immer, er sagt: Schon lange war es nicht so schön mit dir. Dabei war ich gar nicht zu Hause.

Wohin gehst du? Spazieren? Bei diesem Wetter? Ja, ich weiß, daß du den Regen liebst, aber das ist noch kein Grund, sich eine Erkältung zu holen. Ja, ich weiß, daß du einen Schirm nimmst, aber willst du mir nicht sagen, warum du unbedingt spazierengehen mußt, solange es schüttet? Laß wenigstens den Hund da!

Rolf hat recht. Blitz hat keinen Schirm. Auch verbreitet unser Hund einen zu starken Geruch nach Hund, wenn er durchnäßt unter der Zentralheizung liegt. Ich werde also Blitz zu Hause lassen. Aber der sitzt schon im Vorzimmer, weil ich mit dem Schlüssel das Geräusch gemacht habe, das er kennt. Er wartet schon. Auch er ist ein Regenfreund. Warte, sagt Rolf, wenn es trocken ist, gehen wir gemeinsam spazieren.

Blitz und ich warten im Vorzimmer. Rolf zieht sich an, der Regen hat aufgehört, im Dunst hängen die Lichter auf der Promenade, wir treffen Albert und Hilde, was für ein Zufall, daß Hilde Albert begleitet, wo sie doch so schwierige Kinder hat. Hilde sagt, Albert habe plötzlich die verrückte Idee gehabt, im Regen spazierenzugehen. Blitz langweilt sich bei solchen Gesprächen, läuft voraus, springt an den Kastanienbäumen hoch, um sich für verbotene Katzenjagden in Form zu halten, und wir vier gehen langsam mit zwei großen Regenschirmen über die Promenade.

Blitz wartet mit mir, es dauert so lang, gut Ding braucht Weile, hat Großmutter schon immer gewußt, sie würde es auch jetzt sagen, wenn ich ihr erzählen könnte, was ich will, mein erster Wille seit vielen Monaten. Ich behalte es für mich, nur Blitz darf es ins Ohr geflüstert bekommen, er seufzt verständnisvoll und ist verschwiegen. Wenn ich nachts aus dem Ehebett desertiere, leise, um Rolf nicht zu wecken, kommt Blitz leise, um Rolf nicht zu wecken, aus dem Gästeklo herübergetrottet. Er beschützt mich auf den Wanderungen durch die dunklen Zimmer. Wir tasten uns durch die Küche zum Küchenbalkon. Betonmauern. Man kann die anderen Frauen nicht sehen, die vielleicht auch jetzt auf ihren Balkonen stehen und springen möchten oder fliegen, und wenn ich zu lange am Gitter stehe, legt der Hund sich neben meine Füße, und wenn ich mich zurücktaste, trottet er um seine Ecke zurück zur Autodecke. Er grollt nicht und macht kein Gejaule aus seiner Einsamkeit. Ich bette mein Gesicht in das gute Fell und frage ihn, wie er das aushält. Blitz seufzt. Ich warte ja. Von Tieren lernt man viel.

Wie Rolf den Witz vom Mann erzählt, der nach Wien kommt und sagt: Schnee auf dem Kilimandscharo! Und den vom Mann in der Eisenbahn, der einer eleganten Frau gegenübersitzt. Und den vom Mann, der in die Hölle kommt und zwischen zwei Möglichkeiten wählen darf. Und die politischen Witze. Und noch einen politischen, der schon so alt ist, daß ihn wahrscheinlich keiner mehr kennt. Und wie sich die Zuhörer zum Lachen zwingen und dann jeder schnell einen Witz erzählt, damit die Lage nicht peinlich wird, denn gerade wurde weniger gelacht, und wie mich das alles nicht mehr stört.

Was tust du? Was für ein Tanz soll denn das sein? Das ist doch kein Tanz! Und ohne Musik? Wie soll ich das verstehen, daß du die Musik in dir hast? Paß auf, du stürzt, erklär mir das mit der Musik! Hast du getrunken? Guter Stimmung bist du, einfach so? Warum sagst du es nicht gleich? Darf ich an deiner Fröhlichkeit teilhaben, wenn du ausnahmsweise fröhlich bist? Warte, ich lege eine Platte auf.

Wir haben schon lange nicht miteinander getanzt, Rolf und ich. Er sucht den Plattenschoner, wo ist er denn, der liegt natürlich nicht dort, wo er liegen soll, aber das macht nichts, und linkszweidrei, wir üben jetzt den Linkswalzer, hab Geduld, du wirst ihn noch lernen, du mußt ihn mit mir tanzen auf dem nächsten Burschenbundball, leg den Kopf zurück, sei graziös, biegsam, warum bist du so plump, so ist es besser, eins, zwei, drei, nicht so große Schritte, steig dem Hund nicht auf die Pfoten, halt dich nicht so verkrampft, den Arm, den Arm, nicht so hart, sei geschmeidig, ja, das ist gut, Blitz, auf deinen Platz, der Hund ist eifersüchtig, ja schau dir das an, Blitz!

Alberts Auto steht zufällig an der Gabelung des Wegs, auf dem Blitz täglich zweimal fünfzehn Kilometer zurücklegt. Es ist ein graues Auto. Albert trägt einen grauen Anzug. Er hat mehrere Zigaretten geraucht. Die Stummel liegen neben dem Vorderreifen. Er wartet wirklich ganz zufällig. Ob er mich ein Stück begleiten darf. Ja, begleite, aber es wird ein langer Spaziergang werden. Albert macht auch gern lange Spaziergänge.

Er ging den ganzen Weg durch den Wald mit mir. Und zurück. Mit Rast. Tannennadeln, Mooshärchen, Fichtennadeln, Farn. Seit wann? Seit dem Abend. Es war ein gelungener Abend. Ja, es war ein schöner Abend, du warst so still, auch du konntest schweigen, wollen wir immer still sein, ja, wir wollen. Er wird mich von nun an öfter begleiten. Ausgedehnte Spaziergänge.

Blitz wird allein warten müssen, unterhalb der Wegga-belung, an einen Drahtverhau geknüpft. Es ist sein Schicksal. Rolf hat ihn vorbereitet. Wenn das ganze Auto dann hinter der Kurve verschwindet, binde ich Blitz los, er setzt sich auf die Hinterpfoten, schau, ich bin noch da, bück dich, laß mich dein Kinn lecken. Er darf nicht lecken. Rolf hat es verboten, weil Hunde Hundewürmer haben, und die Eier der Hundewürmer haben Widerhaken, aber ich bücke mich, und der Hund leckt, mein Körper wird mir zu schwer, wenn Albert fort ist. Menschen in Autos sind schnell. Blitz und ich trotten demütig nach Hause.

Wo warst du denn? Bei Karl, sage ich. Das paßt mir nicht, sagt Rolf. Warum nicht? Weil Karl kein Umgang ist für uns.

Ich stehe am Waldrand, wenn es föhnig ist und der Schnee zu Matsch quillt, und das graue Auto kommt, ich steige ein, wir fahren in den Wald. Am Waldrand warte ich, wenn die Wiesen trocken sind, und das graue Auto, Albert steigt aus, und wir gehen zu Fuß. Auch in der Ordination ist es möglich, wenn Albert Krankenbe-suche macht. Da breitet er eine weiße Schafwolldecke vor den Kamin, Hilde hat sie in Griechenland gekauft, zwei Polster aus dem Wartezimmer, wir haben eine Flasche Wodka und zwei kleine Gläser, Zigaretten, das Tischfeuerzeug und den Aschenbecher aus dem Warte-zimmer. Wir küssen uns sehr lange. Ich habe mit Rolf vergessen, wie gern ich jemanden ausziehe. Ich fühle mich jung, so nackt, und anständig, weil ich mich wie-der jung fühle. Aber Albert hat nicht so viel Zeit. Komm schon. Ich bin ja da. Und ob ich seinen Körper mag, ja, ja, daß ich es sagen soll, ohne daß er danach fragt, ja, ich spüre dich gern, und wie hast du es denn am liebsten, daß weiß ich nicht, vielleicht hab ich alles am liebsten mit dir, ich mag deinen dicken Bauch, Albert, sei nicht frech, nein, wirklich, ich bete deinen Bauch an. Es muß ja Frauen geben, die Bauch mögen, dafür sorgt die Natur, weil ja auch nach jedem Krieg mehr männliche Säuglinge als weibliche auf die Welt kommen, und wenn die Männer dick werden, beginnen die Frauen Bäuche zu mögen, und Rolf ist viel zu mager, außerdem hat er Draht unter der Haut, von seiner Milzoperation, den spürt man, also gut, dafür kann er nichts, außerdem habe ich ihn wegen des Drahts eigentlich immer sehr gemocht, aber er macht jeden Abend Kniebeugen und läßt die Zehen kreisen. Rede nicht über Rolf, sagt Albert. Wir werden über niemanden reden, niemanden, nicht einmal über uns, warte noch, ja, ich warte doch, Dummkopf, ich will ja, daß du kommst, liebst du mich denn? Albert antwortet nicht. Ich glaube, so was fragt man nicht in so einer Konstellation. Ich bin still und lasse seinen großen Seufzer über mir zerbrechen und in Splittern auf mich herunterregnen, und erschöpft liegen wir dann auf unserer griechischen Insel, jeder in sich zurückverbannt. Morgen wieder? Ja, morgen wieder.

Du warst bei Karl? Was redest du denn mit ihm? Liest er dir Gedichte vor? Nein, wir sprechen über Gesellschaftspolitik. Was hat unser Karl denn für Ansichten? Diffuse. Von einem Alkoholiker darfst du dir auch nichts anderes erwarten, sagt Rolf und umarmt mich konspirativ.

Ich gehe manchmal auch zu Karl. Er beschäftigt sich jetzt sehr mit seinem Direktor, der eine Sonderschulklasse an seiner Schule mitführt, obwohl es nicht genug Sonderschüler gibt, und da hat er einfach einige Kinder zu Halbidioten erklärt, denn so eine Sonderschulklasse bringt mehr ein, und trotzdem ist Karls Direktor manchmal höchstens eine Stunde lang in der Schule anzutreffen, weil er als Jäger, Fischer und Grundstücksbesitzer viel zu tun hat. Mitglieder des Landesschulrats haben Jagdrecht im Revier von Karls Direktor, also übersieht der Schulinspektor diese Dinge, und an einer anderen Schule in einem anderen Ort ist es umgekehrt, sagt Karl, dort schreibt man sonderschulreife Kinder einfach hauptschulreif, um es sich mit den Eltern nicht zu verderben. An der Schule ist ein Direktor, der während der unterrichtsfreien Zeit Schüler der Hauptschule in seiner Baumschule arbeiten läßt, für einen Stundenlohn von zehn Schilling. Karl hat ihn angezeigt, aber das Verfahren wurde ohne Anhörung von Zeugen eingestellt. Die Volksschullehrer, die davon wußten, haben Karl Unkollegialität vorgeworfen. Und da soll ich noch meine Gedichtchen schreiben? Karl liest viel, und manchmal findet er in einem dicken Buch einen Satz, den er herausstreicht. Er möchte diesen einen Satz zu einem ganzen Buch machen, weil alles, was rund um den Satz gesagt wird, überflüssig ist. Aber dann, sagt Karl, löse ich zwei Schlaftabletten im Bier auf und trinke mich in einen Taumel, der mich aufs Bett wirft, jedesmal in der Hoffnung, daß der Kreislauf es diesmal vielleicht nicht mehr schafft.

Ich bin ein Brunnen mit viel Wasser, sagt Karl. Der Deckel muß eingeschlagen werden. Ob sich das lohnt? Vielleicht ist das Wasser faulig? Er wird erst dann wieder schreiben, wenn sich das mit dem Deckel irgendwie gelöst hat. Ich finde, man kann Brunnendeckel auch abheben. Man braucht nur die richtigen Werkzeuge. Karl hat so viele Flügelmappen mit Material. Er müßte einmal alles ordnen und in Kapitel zwängen. Aber es quillt immer wieder zwischen den Fingern heraus, wenn man das Leben anfaßt, sagt er, quecksilbriges Material ist das. Quecksilber macht Spaß, aber es ist auch giftig, und die heiteren Romane, die sich manche Schriftsteller abzwingen, daran sind schon einige gestorben. Er macht Notizen, weil ihm das Leben erträglicher wird, wenn er Teile daraus hin und wieder beschreiben kann. Weil er beim Aufschreiben zum genaueren Empfinden und Denken kommt. Er glaubt, daß Menschen schriftlich besser mit sich reden lassen als mündlich. Beim Lesen sind sie ja aufmerksamer und weniger eitel.

Mutter ist froh, daß ich eine gute Ehe führe. Sie sagt, daß mein Vater sie nicht verstehe. Großmutter sagt, sie hat mit Großvater allerhand mitgemacht. Vater sagt, daß Großmutter Großvater nie verstanden hat. Großmutter sagt, daß Vater Mutter mehr achten soll. Vater sagt, daß Mutter ihn nicht versteht.

Man muß sich nur einbilden, daß es nicht Rolfs Taschentücher sind, sondern Alberts, daß man das Sofa abbürstet, damit Albert sich nicht durch Hundehaare gestört fühlt, und ich spanne das Leintuch über das eheliche Bett, als ob es unsere Insel wäre, den Pyjama falte ich, als ob ich Hilde wäre. Vielleicht faltet Albert seinen Pyjama selbst? Schläft er rechts oder links? Hilde verwendet Oil of Olaz. Sie hat kleinere Ohren als ich und zartere Gelenke. Rolf findet, daß ich in letzter Zeit gut rieche und gepflegter aussehe. Es entgeht ihm nicht, daß er mit der Zeit noch eine richtige Frau aus mir machen wird.

Du bist vernünftig geworden, sagt Vater, man kann jetzt mit dir reden. Früher warst du wie aufgewirbelter Sand in stürmischem Wasser. Jetzt ist das Wasser klar. Der Sand setzt sich ab. Vater schenkt uns Cognac ein und bietet mir eine seiner schwarzen Zigaretten an, weil das jetzt eine Erwachsene ist, die ihm gegenübersitzt. Und er sagt noch viel, auch hört er sich dabei aufmerksam zu. Mit deinem Vater kann man ja nicht reden, sagt Mutter, aber ihr seid die neue Generation, und wenn ich dich so ansehe, sagt sie. Ja, was denkst du? Sie sagt, daß sie denkt, was sie damals wohl gedacht hätte, als sie schwanger war, wenn sie mich da sehen hätte können, wie ich jetzt so vor ihr sitze. Heimlich sammelt sie aber Unglück, schneidet es aus Zeitungen heraus und klebt verkohlte Kinderleichen, ertrunkene Pferde, mißhandelte Katzen in einen Kalender mit Sprüchen für jeden neuen Monat, auch getrocknete Wiesenblumen, Taubenfedern, handgemalte und fußgemalte Landschaften, und in ihrem Nachtkästchen klemmen Tagore, Rilke, Hesse und Trakl, und Schleifen und Geschenkpapier, Briefe, die sie alle aufbewahrt, während Vater jeden Brief, der gelesen und beantwortet ist, zerreißt, und in seinem Nachtkästchen liegt in der Lade eine Ledertasche mit Valuten, und im unteren Fach stehen seine Hausschuhe.

Dein Vater ist ein Materialist!

Deine Mutter lebt im Wolkenkuckucksheim!

Dein Mann ist ein Charakter, sagt Großmutter.

Auf einen Kretin wie Karl ist Rolf natürlich nicht eifersüchtig, wofür ich ihn eigentlich halte, aber ich soll bitte Rücksicht nehmen, Karl nicht Dinge erzählen, die nur uns beide etwas angehen, er hofft, daß ich genug Taktgefühl habe, um die Grenze von der Offenheit zur

Schamlosigkeit nicht zu übertreten, und wo der Knopf ist, der fehlt seit Wochen! Das kommt davon, weil du immer mit dem verdammten Hundsvieh herumschmust, deinen eigenen Mann brauchst du wohl nur als Bettwärmer! Er wartet die Antwort nicht ab. Geht, ohne die Tür zuzuschlagen. Wenn er doch einmal eine Tür zuknallte! Aber er beherrscht sich, das hat er wahrscheinlich von seiner Mama gelernt und beim Militär, er hat sich in der Hand, und solche Menschen wie Rolf geben den Tritt in den Arsch mit einem versöhnlichen Lächeln. So legt man Geschäftspartner herein und befördert lästige Vertreter zur Tür hinaus. Unauffällig, aber effektiv serviert man die Leute ab. Abservieren. Hat er selbst gesagt über sich und den Chef, besonders sein Chef imponiert ihn, den sollte ich einmal sehen, hat er vor dem Einschlafen, als es wieder nichts gewesen war, in die Dunkelheit gesagt, der läßt die Köpfe rollen mit einem Federstrich! Er geht weg und denkt weiter für mich, meint es sogar gut, denkt nur um Haaresbreite immer vorbei an mir, und er weiß nicht, wo sein Gutes zu faulen beginnt. Er hat keine Augen im Hinterkopf, schaut immer nach vorn, und marsch.

Ich frage meine Mutter, ob es vorkommt, daß ein Mensch, von dem man ein bestimmtes Bild hatte, sich plötzlich ändert, ober ob das Bild falsch war, oder ob man sich selbst ändert. Ich ändere mich nicht, sagt sie, dein Vater hat sich ein bißchen geändert. Ich glaube, die Männer ändern sich. Nur die Männer? Ja, sagt sie, und da fällt ihr etwas ein, was weh getan hat. Nicht Vater, sondern einer, den sie im Krieg gepflegt hat, als sie noch Krankenschwester war im Lazarett, die schwersten Fälle übernahm sie freiwillig, davon hat sie auch die Hühneraugen, weil man ihr zu kleine Schuhe gab, und größere waren nicht vorrätig im Krieg, da blieb sie viele Nächte auf mit den engen Schuhen, und sie holte die Sterbenden aus den Sterbekammern, und einer war darunter, der schrieb ihr dann so idealistische Briefe. Aber als seine Verwundung geheilt war, schickte er Weihnachtsgrüße mit Jahresberichten über Turbulenz und einschneidende Geschehnisse, über Motorräder, die seine berufstätige Frau nach den USA disponierte, während er in seinem Verwaltungsturm hockte und sich den Kopf über organisatorische Verbesserungen und kostensparende Aktivitäten zerbreche, und früher schickte er Lyrikbände mit jeweils einem eigenen beigelegten Gedicht. Und jetzt jagte er kleine Gauner und schwirrte im BMW-Werk herum, berichtete über die Produktionskapazitäten von Opel, VW und Ford, und man müsse die Durststrecke überstehen, und daß er selbst noch seinen alten Fiat fahre, und daß bei seiner Frau die betroffene Niere wegen Senkung wieder etwas höher angebunden werden müsse und sie sich pudelwohl fühle, und für zwanzig deutsche Mark Konsultation alle drei Monate hielten sogar seine Divertikel am Darm still, und im Garten habe er Flieder und Forsythien, mit Garage zahle er monatlich dreihundertfünfzig deutsche Mark. Der hat sich geändert, sagt Mutter, aber vielleicht hat ihn seine Frau so gemacht. Sie unterschreibt ja die Briefe nie. Vielleicht deswegen? Aber noch ein anderer war im Krieg, den Mutter gerettet hat, und der wollte sie heiraten, aber er schrieb Katarrh falsch, und mein Vater fand das unmöglich und sagte, er würde Mutter zu sich emporziehen, und sie verlobten sich am Nachmittag des Vormittags, als Mutter bei einer Beinamputation ohnnächtig wurde, da verliebte sich Vater endgültig in die Krankenschwester mit den kaputten Füßen. Wenn Mutter sich unbeobachtet fühlt, fallen ihre

71

Mundwinkel herab. Sie glaubt, ich habe nicht zugehört. Der Wein ist schuld, daß sie so viel geredet hat und ein bißchen geweint. Großmutter sagt, die grundlose Traurigkeit kommt oft, aber mit dem Alter kommt auch die Zufriedenheit, denn wer alt ist, der wünscht sich nichts mehr, und alles Nichtgewünschte hat er hinter sich.

Wenn Albert aber wirklich Krankenbesuche macht, denn er kann ja die Leute nicht sterben lassen meinetwegen, oder doch, meinetwegen könnte er, dann lege ich mich aufs Bett, lasse das Fenster einen Spalt offen, und der Straßenlärm kommt wie Schlummergebrumm, jedes Auto, das vorbeifährt, ist grau, Sonnenstrahlen bündeln sich durch die Vorhänge, man verliert das Bewußtsein, gleitet in einen Sog wie in einen Tod, ängstigt sich nicht mehr, dann klingelt das Telefon, die Schwiegermama fährt zum Einkaufen nach Linz und möchte wissen, ob man etwas braucht. Ich fahre mit, im Autobus sitzen Schulkinder und verbreiten einen eigentümlichen Geruch, den man selbst verbreitet hat als Schulkind. Wie gut war es, ein Schulkind zu sein und nicht zu wissen, wie gefährlich man lebte, und in Linz kaufe ich schwarze Unterwäsche, um meinem Leben wieder einen Sinn zu geben. Die Verkäuferin behauptet bei jedem Stück, das ich anprobiere, daß sie das selbst auch trägt, und sie soll ruhig sehen: Albert hat meine Schultern mit Flecken gebrandmarkt. Ich gehöre ihm. Meine Brüste sind größer geworden unter seinen Lippen. Seine Erfahrung, seine Befehle, mein Gehorchen, sein: Laß dich gehn! Laß dich doch einmal gehen! Er bestimmt, wann es soweit zu sein hat. Daß es trotzdem nie soweit ist, liegt daran, daß ich immer daran denke und daß Rolf mich verpatzt hat. Für Rolf sind alle Frauen normal, nur ich nicht. Albert sagt, daß es keine normalen Frauen gibt, nur blöde Männer, und daß man die Steigung von selbst nimmt, gerade wenn man nicht daran denkt, passiert es, und daß es für eine Frau auch ohne Höhepunkt schön ist. Er liebt meine Fröhlichkeit. Ich kaufe alles, was schwarz ist. Die Verkäuferin glaubt, daß sie es wieder einmal geschafft hat. Meine Fröhlichkeit kommt daher, daß ich mich auf Alberts Fröhlichkeit freue. Blitz darf unter der Gefängnismauer im Stadtpark laufen, obwohl es verboten ist. Wir werden alle Verbote aufheben. Die Leute bekommen Geier- und Truthahngesichter vor lauter eingehaltenen Verboten. Ich schreibe einen Brief an Albert: Hören wir auf mit den Lügen! Bediene nicht gleichzeitig das Lenkrad und mich, wenn wir im Auto fahren! Aber der Brief darf nicht abgeschickt werden. Ich wate in zerknüllten Sätzen, weil Albert meine Zurückhaltung liebt.

Es gibt mehrere Wege. Der eine führt im Westen aus der Stadt hinaus, vorbei am Café Lichtenauer und über die Stadtgrabenbrücke. Dort ist früher ein Turm gestanden, man sieht noch die Rundungen der Grundmauern. Der Turm ist irgendwann abgebrannt. Man überquert die Umfahrungsstraße und gelangt zu einem Parkplatz. Ein riesiger Parkplatz für ein paar Autos. Diese Straße wurde gebaut, als man mit Tourismus rechnen durfte, weil unsere kleine Stadt an der tschechoslowakischen Grenze liegt, und man spürte plötzlich wieder, daß wir Grenzland sind, es gab Verkehr hinein und heraus aus der Tschechei, wie man hier sagt. Eine Autobahn sollte gebaut werden. Unsere Geschäftsleute rechneten mit höheren Umsätzen. Dann schlossen sie oben die Grenze wieder, und übriggeblieben ist nur die Umfahrungsstraße. Sie führt am Kloster der Marienbrüder vorbei.

Hier gabelt sich der Spazierweg. Ich kann den runzeligen Sandweg nach Sankt Peter hinaufgehen, an Gärten und Villen vorbei, oder ich kann um die Klostermauern herum in das Gebiet «hinterm Marianum» gelangen, zu Schrebergärten, Einfamilienhäusern, Wiesen, Sportplatz, Altweiberbänken. Hier kenne ich jeden Stein und jedes Grasbüschel, hier trifft man immer dieselben Leute, Stimmen, Gebärden, hier hat Karl mich in einer Winternacht an sich gerissen und zu küssen versucht. Vergewaltige mich, dachte ich, aber er entschuldigte sich und schrieb noch einen Brief, um sich ein zweites Mal zu entschuldigen. Hier hat einer, der Rolfi hieß, seine feuchte Hand in meinen Kleidausschnitt gedrängt, und dort war noch nichts, ich hatte mit Papiertaschentüchern etwas vorgetäuscht, und weil ich die dreizehnjährige Hand wegschob, hielt Rolfi mich für tugendhaft. Das kann es gewesen sein. Hinter dem Kloster der Marienbrüder sitzen die, die nach der Reihe aussterben, und man weiß nicht, wie sie geheißen haben, wenn man hört: Der ist jetzt auch gestorben, die hat ihre Lungenentzündung nicht mehr überstanden. Aber es wird einem geholfen, und jeder weiß dann: Der mit dem gelben Stock, seine Hände haben immer so gezittert, die mit dem karierten Kopftuch, sie hatte einen struppigen Hund.

Einen anderen Weg gibt es rund um die Stadt, durchs Linzertor hinaus, dann rechts über die Promenade, am Brauhaus vorbei, zur Lichtenauerbrücke, zum Eislaufplatz, auf dem Tennis gespielt wird. Seit der sommerlich brachliegende Eislaufplatz mit roter Erde aufgeschüttet wird, weiß man, wer die besseren Leute bei uns in der Stadt sind. Wir gehören natürlich dazu, Rolf und Albert und Hilde und ich. Vorbei am Tennisplatz an den rostigen Gittern der Stadtgrabenumzäunung entlang, an den uralten, buckligen, geduckten Häusern, ihren schiefen, winzigen Fenstern, und dem Teich, in dem Karpfen nach Brotstücken schnappen, die man ihnen hinwirft, und vorbei am Kloster der Armen Schulschwestern, wo man mir beibrachte, daß die Juden das Jesuskind ermordet haben und wie man Topflappen häkelt, und daß ein Mädchen nicht pfeifen darf, weil bei jedem Pfiff die liebe Gottesmutter eine Träne weint, wenn er aus weiblichem Mund kommt. Die Straße hinüber geht es zur anderen Promenade, zur finsteren, den Bach entlang, wieder Gitterwände, hinter denen Hirsche und Rentiere zur Besichtigung eingeschlossen sind, bitte nicht füttern, das Hirschenpaar heißt Karl und Hilde, vorbei an der Mühle, dessen Besitzer an Mehlstaub in der Lunge gestorben ist, vorbei an den Stadtmauern, wo Gefängnis und Pfarrhof dicht nebeneinanderliegen, alles hinter Mauern. Aber das Gefängnis gibt es nicht mehr. Es gibt keine richtigen Verbrecher in unserer Stadt. Und wenn, dann werden sie nach Linz transportiert. Einen letzten gab es, als die Grenze zur Tschechoslowakei frei war: Ein Deutscher hatte ohne anzuhalten das Niemandsland durchfahren. Er wurde verhört von den österreichischen Grenzposten, er zeigte seine Papiere, die alle in Ordnung waren, er mußte aber der Ordnung halber einige Tage im Gefängnis unserer Stadt absitzen, weil er immer nur gesagt hatte «Spaß muß sein!» Man wußte mit so einem nichts anzufangen, und es war Sommer, die Rosen unter der Gefängnismauer blühten dunkel, und viele gingen abends in den Stadtpark, um das Gesicht des Wahnsinnigen zu sehen, aber der zeigte sich nicht, man war enttäuscht, und es stellte sich heraus, daß er wirklich nur aus Spaß ohne anzuhalten aus der Tschechoslowakei durchs Niemandsland nach Österreich hatte fahren wollen.

Es gibt noch den Spaziergang zum Waldrand, und Albert wartet seit fünf Uhr, jetzt ist es sieben, er hat gefürchtet, ich würde nicht mehr kommen, hat sich vorgestellt, wie das wäre, wenn ich nicht mehr käme, fühlte sich unglücklich, spürte ein Würgen im Hals, und dann, sagt Albert, bist du den Weg heraufgelaufen, wie du noch nie gelaufen bist, und die Wolken haben sich auseinandergeschoben, die Sonne ist gekommen, um zu sehen, wie du heraufläufst, und eine Krähe hat zu singen begonnen, ja, du, die Krähe mußte einfach singen, als sie dich sah.

Mehr, noch viel mehr müßte geschehen, und wir sagen nichts, weil wir Angst haben vor der Lüge oder vor der Wahrheit. Wir lieben uns, ohne uns zu lieben, suchen uns, ohne zu suchen, mit Brotkrumen begnügen wir uns, und frierst du? Ja, ich friere. Ach, mein Armes, reibt er meine Hände, ich hab dich lieb, lieb, ach du, ach du, mein Mund ist trocken, laß mich trinken aus deinem Mund, komm, und auf dem Heimweg wird die Luft so dunkel.

Albert hat mich nach meinem Sternzeichen gefragt, und in dem Buch, das ich über den Stier gekauft habe, um Albert zu erforschen, wird behauptet, der ausgeprägte Stier-Typ sei leicht an der Gangart zu erkennen. Er vermittle den Eindruck, als habe er sehr viel Zeit und kenne keine Eile. Er stehe fest auf der Erde und gehorche mehr als jeder andere dem Gesetz der Schwerkraft. Der Stier steht laut Buch physiologisch in Verbindung mit dem Sternzeichen Skorpion, das die Geschlechts- und Ausscheidungsorgane beherrsche. Über die Widder-Frau steht geschrieben, daß sie Leidenschaftsaus-brüche kenne und auf der Stelle befriedigen möchte. Untreue sei das Damoklesschwert, das über ihrer Ehe schwebe. Es brauche wenig, schon werde das Heim im Stich gelassen, die Ehe zerbrochen, die Scheidung vollzogen. Natürliche Güte mache den Stier im Extremfall zum Pantoffelhelden. Ist Albert ein extremer Fall? Sooft er von Holde spricht, sagt er: Meine Holde. Und im Buch steht, der Stier nennt seine Frau unerschütterlich seine bessere Hälfte. Ich habe Albert die beiden Bücher geschenkt, aber er hat gesagt, was würde denn die Holde denken, wenn er mit Büchern nach Hause käme, plötzlich, wo sie doch will, daß er Simone de Beauvoir und Alice Schwarzer liest, und er blättert die Bücher nur durch, weil er abends zu müde ist für alles, auch fürs Lesen.

Eine kleine Aufmerksamkeit, sagt Hildes allein lebende Nachbarin und stellt einen Glasteller in Hildes Küche, mit Königskuchen oder Apfelschnitten, wenn sie gebacken hat für den Sonntag, und immer sind diese kleinen Aufmerksamkeiten mit Staubzucker bestreut. Wenn die Nachbarin fort ist, läßt Hilde den Teller irgendwo stehen. Die Nachbarin ist schmuddelig, und keiner will ihre Königskuchen, und so vertrocknen die kleinen Aufmerksamkeiten und zerfallen und landen in der Plastiktüte des Abfalleimers, und wenn am Montag die Nachbarin kommt, um den Teller zu holen, fragt sie, wie es geschmeckt hat, und Hilde bedankt sich, die Nachbarin geht und freut sich, und bald kommt sie wieder, mit Nußkipferln und Vanillegebäck, mit Staubzucker bestreut, und im Laufe der Jahre häufen sich solche Aufmerksamkeiten wie Staub zu Staub, weil Hilde der Nachbarin doch nicht sagen kann, daß es jedem vor ihr graust.

Was weiß ich noch von Hilde? Daß sie Albert mehrere Male rufen muß, bis er zum Essen kommt. Daß sie sich wundert, warum ihm plötzlich ihr mexikanischer Rostbraten nicht mehr schmeckt. Er hat doch früher so gerne ihr Scharfes gegessen. Daß er doch gerade jetzt ihr Scharfes brauchen könnte, neckt sie ihn, und weil er wortlos zu essen beginnt, glaubt sie nun wirklich, daß er sie betrügt, und ob es wahr ist, was sie vermutet, will sie von ihm hören. Ob er denn glaubt, sie merke nichts? Er scheint das nicht zu hören, und noch einmal: He, du, hältst du mich für blöd? Und dann sagt sie ihm, was nur Leute sich sagen, die miteinander verheiratet sind. Daß sie alles der Kinder wegen erträgt. Albert erträgt es auch, der Kinder wegen. Die Kinder werden es eines Tages ihrer eigenen Kinder wegen ertragen und vielleicht mit denselben Worten hin und wieder kleine Pfeile abschießen, die nichts zerstören sollen, nur verletzen.

Gelächter und Gläserklirren im gutbürgerlichen Gastzimmer. Karl hatte hier einmal Lokalverbot, weil er aufstand und zum Stammtisch hinüberschrie: Nazischweine. Wo es doch übertrieben ist. Nicht alle waren Nationalsozialisten, und die vom Stammtisch, die haben an ihre Sache geglaubt, bei uns gibt es keine Schweine. Holzvertäfelte Wände, wie in Großvaters Kaffeehaus, als um den Billardtisch herum plötzlich so viele grelle Lichter standen, setz dich ans Klavier, ich kann doch nicht Klavier spielen, das macht nichts, setz dich und leg die Fingerchen auf die weißen Tasten, rechteckig gemusterte Tischtücher, der Besitzer des Gasthofs bedient uns persönlich, das ist eine Ehre. Er drückt den Korken ein Stück hinein, bevor er ihn herauszieht. Er hat das Hunderte, Tausende Male gemacht, und er macht es immer besser. Ein Lied wird gesungen, Hilde muß hinaus, sie sagt nicht, wohin, sie sagt: Ich muß einmal wohin. Ich rücke näher zu Albert, lasse meine Hand unter den Tisch rutschen, seine Hand rutscht nach, unsere Finger mit den Ringen verklammern sich, wir umarmen uns mit den Händen, pressen uns die Luft weg mit den Handflächen, quetschen unsere verkrüppelte Liebe platt, und Hilde kommt zurück, wir rücken auseinander, Hilde stellt ihre Tasche auf den Tisch, zwängt sich zwischen uns, ich wieder mit Rolf, sie mit Albert, wir dürfen, müssen, wollen so sitzen, im Auto, zu Hause, mit ihr schläft er ein, sie ist bei ihm, wenn er sich morgens den Schlaf aus den Augen reibt, sie darf ihn sehen, wenn er duscht, und vielleicht streicht Albert auch die Zahnpastatube glatt und rollt sie ein, rügt Hilde, wenn wieder ein Stück Seife im Wasser liegengeblieben ist, raucht er daheim? Lacht er, wenn seine Kinder komische Sachen sagen? Brandmarkst du sie? Gurrst du auch, wenn Hilde ihre Fingernägel über deinen Rücken zieht? Lächelst du, wie du es bei mir tust? Oder kann Hilde vielleicht dein Lächeln nicht mehr ertragen und das Räuspern nicht mehr hören, mit dem du zu lügen beginnst? Vielleicht hört sie das Räuspern schon, wenn du die graue Autotür zuschlägst und über die Straße zum Haus gehst, so wie ich Rolfs zusammengepreßte Lippen schon sehe, bevor er die Stiegen heraufkommt, während er unten das Postfach aufsperrt, er bringt so viele Briefe in die Wohnung, und nie ist einer von dir an mich dabei, nie hast du mir eine Blume gepflückt, und ihr kaufst du welche, und sie will vielleicht, daß du dir die Gladiolen auf den Hut steckst, weil du nur die Blumen bringst und sonst nichts.

Und Vater gibt Mutter Sicherheit, Rolf gibt sie mir, Albert gibt Hilde Sicherheit, und Rolf bespricht mit Albert das Problematische am japanischen Thunfisch, den man überhaupt nicht mehr essen kann, wegen der Bleigehalte, und Hilde erklärt mir die wunderbare Wirkung von zweimal wöchentlich Sauna und wie sich ihr Kind zum erstenmal bewegt hat, und Rolf könnte Albert etwas ganz Wichtiges sagen, Albert Rolf, und ich verkünde, daß ich jetzt den Chivas öffnen werde, und Albert gesteht, er hat die ganze Zeit auf nichts anderes gewartet, und Rolf verbietet mir, über den Preis des Whiskys zu sprechen, und Hilde wehrt sich dagegen, daß ich die teure Flasche öffne, sie entreißt mir den Chivas, Albert weist sie zurecht: Mach kein Theater. Sie macht doch keins. Sie wehrt sich ja wirklich, wenn auch nicht gegen den Whisky, und Hilde möchte gar nicht wissen, warum meine Zimmerpflanzen ausgetrocknet sind, und ich will gar nicht über die Nachteile der Zentralheizung reden, auch nicht darüber, ob ich eine Hand für Pflanzen habe oder nicht, aber der Einfachheit halber einigen wir uns darauf, daß ich keine habe und Hilde hat eine, dann ist es still. Der japanische Fisch gibt nichts mehr her, Rolf schlägt das rechte Bein über das andere, um die Stille zu durchbrechen, durchwippt sie mit dem einen Fuß, und Hilde legt schnell einen alten Gesprächsstoff auf den Tisch. Wir tun, als wäre er neu, aber abgenützt sind auch unsere Ohren. Man kann sich mit offenen Augen fortschlafen. Der Alkohol macht das Blut dick, alles, was sie reden, kommt nur noch durch eine gallertige Wand, und dann war Hilde im Bad und will wissen, wo ich die Handtücher gekauft habe, was sie kosten, und jeder sagt noch schnell alles, was ihm zu Handtüchern einfällt.

Natürlich ist das beschissen, sagt Karl, aber du hast dich eben auf ihre Seite geschlagen, jetzt steh dazu. Das sind doch Dutzendgeschichten, was du mir erzählst, langweile mich nicht damit. Eifersüchtig ist Rolf auf mich? Ich habe mit jeder Frau an dich gedacht, sagt Karl, ich glaube, ich habe dich geliebt, und ich war ungerecht zu denen, mit denen ich es trieb, denn sie konnten ja nichts dafür, daß ich dich nicht besitzen und nicht zerstören wollte. Weißt du, was ich mache, wenn ich ausgelaugt bin von meiner Arbeit? Ich saufe mich an, schreibe ein Gedicht, mache gleich die Parodie darauf und eine Parodie auf mich, dann die Tabletten, und jeden Abend dieselbe Narkose, und morgens setze ich mich in meinen Volkswagen, fahre in die Schule, lüge den Kindern etwas vor über Geschichte und deutschen Aufsatz, jeder glaubt, daß ich glaube, was ich sage, und wenn ich nach Hause komme, freue ich mich auf die tapsigen Berührungen meiner Schwester und denke, daß sie in Frieden lebt.

Beschäftigungen beanspruchen die Sinne. Man ist nicht der Verführung ausgeliefert, über den Sinn der Beschäftigung nachzudenken. So viel ist zu erledigen! Es gibt immer eine Lade, in der man Ordnung machen muß. Mutter sucht sonntags Pullover, Gürtel und Unterwäsche, Handtaschen und Blusen aus dem Schrank, dann räumt sie alles wieder hinein. Dabei darf man sie nicht stören. Sie erschrickt, wenn man sie laut anspricht, denn sie ist wirklich vertieft ins Ordnen. Wer weiß, was sie wirklich herausräumt, weglegt und wieder zurückräumt. Das beruhigt jedenfalls, und Rolf ist ein ruhiger Mensch, weil er ein ordentlicher Mensch ist. Er streift den Staub von den Schuhsohlen ab, bevor er das Vorzimmer betritt, nimmt die Hundeleine vom Haken und hängt sie auf den richtigen, hängt seinen Mantel auf seinen Haken, wäscht sich gründlich die Hände, schaut, ob der Spiegel wieder mit weißen Spritzpünktchen übersät ist. Nein, heute ist der Spiegel spiegelblank. Die Frau hat geputzt. Sie steht in der Badezimmertür, er sieht seine Frau im Spiegel, geht ins Schlafzimmer, zieht die Schuhe aus, sitzt auf dem Bett, stellt die Schuhe hin, wo sie hingehören, zieht den Rock aus, sieht seine Frau in der Schlafzimmertür, was hat sie denn, warum schaut sie ihm heute zu? Er lockert den Krawattenknopf. Wie beneide ich ihn in diesem Augenblick, daß er eine Krawatte hat, die er sich einfach über den Kopf ziehen kann. Wie er er ist und nicht ich. Er findet eine Haarspange auf dem Teppich und legt sie ohne Vorwurf auf mein Nachtkästchen. Wenn er mir nur ein wenig Brechreiz verursachte jetzt, dann würde ich Wörter erbrechen.

Wir sind die Nägel, hat Karl einmal geschrieben, mit denen Gott sein Haus baut. Das Haus muß fest sein, und jeder Schlag muß natürlich den Nagel auf den Kopf treffen. Wir halten den Kopf hin, und jeder Schlag tut weh, aber wir sind eben die Nägel. Gott ist tot, hat Karl mir geschrieben, in einem anderen Brief. Wer soll sich da auskennen?

Rolf rechnet aus, was wir verdienen. Er sagt wir. Was wir heuer verdient haben und nächstes Jahr verdienen werden, und im zwanzigsten Jahr nach seiner Anstellung bei der VÖEST, was er da alles für uns verdient haben wird. Ich soll nicht die Fäden aus dem Tischtuch ziehen, wenn er mit mir die Zukunft bespricht. Und warum ich traurig bin, er liebt mich doch, er will, daß wir harmonieren, und er wollte Blitz nicht treffen, er hat nur eine Ladung Schrot auf ihn abgeschossen, damit er sich das Hühnerjagen abgewöhnt. Das ist üblich, daß der Jäger mit Schrot hinten an seinem Hund vorbeischießt, um ihn zu schockieren. Aber Blitz hat sich umgedreht, ein Schrotkorn erwischte ihn im Auge, und das quillt nun auf, verfärbt sich, aber Blitz wurde ja gleich ins Tierspital gefahren, wurde narkotisiert, er spürte bestimmt nichts, er bäumte sich nur auf und sprang im Tiefschlaf vom Operationstisch, weinte auf dem Gummiboden, und der Arzt sagte, besser nicht operieren, die leere Augenhöhle würde ständig fließen. Sollte das Tier Kopfschmerzen haben, dann mischen Sie Tabletten ins Futter. Oder Sie schläfern ihn ein. Rolf sagt, dazu war ihm der Hund zu teuer. Und ich soll nicht hysterisch sein, Blitz weiß ja nicht, daß er blind ist.

Er weiß es nicht, er stößt nur gegen Tischkanten, wirft Gegenstände um, sieht die Autos nicht, die von rechts kommen, jault, bellt, reibt sein Auge gegen Polsterstühle und gegen alles, was weich ist, reibt seinen Kopf an den Mänteln der Menschen, die uns besuchen, und manchmal reibt er seinen ganzen Körper an den Menschen. Er macht jetzt zu viele Scherereien. Die Nachbarn beschweren sich über die Geräusche, die nachts aus der Wohnung kommen. Rolf will sich keine Feinde machen wegen eines Tieres. Es ist auch besser für Blitz, sagt er, und da muß man eben Opfer bringen. Blitz gehört Rolf. Komm, gib Pfötchen, brav, Auto, komm, schau, wie er sich noch immer freut, wenn er Auto hört, es ist wirklich schade, sagt Rolf. Blitz läuft voraus, die Stiegen hinunter, stößt an den Wänden an, setzt sich vors Auto, wie er es gelernt hat, wartet und legt den Kopf schief, während Rolf aufsperrt, springt auf den Rücksitz, wie er es immer gehalten hat, leckt über das Leder, weil er Rolfs Nacken nicht lecken darf. Es ist seine letzte Fahrt. Der zerkaute gelbe Gummiball bleibt da. Die Autodecke mit den Haaren. Die Leine.

Muß die ganze Stadt dich hören? So weint man nicht einmal um einen Menschen! Das ist doch nicht der Hund, um den du heulst, du hast doch was. Rolf schlägt endlich zu, aber das, was ich habe, fällt nicht heraus. Es klebt irgendwo und wächst, die Haut gibt nach, es verhärtet sich, weil es noch mehr wachsen will, und es hat zuwenig Platz, drängt bis in die Zehen und Finger, und die Kleider werden mir zu eng, und die Haut, und ich möchte alles ausziehen und mich herausschälen. Es gibt Augenblicke, in denen es mich drängt, Gläser so anzufassen, daß sie zerbrechen, alles zu zerstampfen und zu zerschlagen und davonzulaufen, aber wohin, und ich unterdrücke das alles, solange die Haut sich dehnt. Ohne Haut wäre man verloren. Ohne Haut wäre man nicht anzusehen. Unerträglich, wenn jemand platzte und auf einmal ohne Haut wäre. Man würde alles erkennen. Wie oft hab ich alles gesagt und nicht gewußt, was ich da sage.

Sonntags wird die Luft so zäh, daß Vögel mitten im Flug steckenbleiben. Der Fluß stockt unter der Brücke. Der Sonntag gehört den Menschen, die in geordneten Verhältnissen leben. Ich darf sonntags das Auto lenken, weil ich doch damals mit der Matura gleich den Führerschein machte. Matura und Führerschein, sagte mein Vater, ist wie Schreiben und Lesen. Rolf gibt Ratschläge, damit ich im Straßenverkehr ohne eigene Erfahrungen zurechtkomme, dann muß ich ihn ans Steuer lassen, weil er nervös wird, das Auto tut ihm leid, die Kupplung kracht jedesmal, wenn ich gefahren bin. Warum

redest du nichts? fragt er. Er sagt, man kann die Land-
schaft betrachten und doch hin und wieder ein Wort
sagen. Ich zünde seine Zigaretten an und gebe ihm die
andere Brille, die aus dem Handschuhfach. Und wenn
er bremst, stehen wir, und wenn er aufs Gas tritt, fahren
wir. Was habe ich gegen das Normale? Einige Autos,
die entgegenkommen, werden von Frauen gelenkt. Im
Fahrtwind spüre ich, wie die Männer aufpassen.

Wenn ich ohne Blitz über die Wiesen laufe, denke
ich, daß ich mich nicht besiegen werden lasse von den
Fratzen, die sich aufdrängen. Ich besichtige den Friedhof und lese alle Namen und fürchte mich nicht vor
freigeschaufelten Gräbern, weil die Erde ja offen ist, um
uns wieder aufzunehmen, und hier wächst ein Wind,
der uns kleiden wird, und den Totenschädel tragen wir
ja schon unter den Haaren.

Sonntage mit Musik, aber bitte nicht diese Katzenmusik! Paganini macht keine Katzenmusik. Also gut,
de gustibus non est, wie heißt das? Weißt du es nicht
mehr? Cave canem! Sag, wie es heißt, sagt Rolf, ich
möchte wissen, ob du wirklich alles vergessen hast.
Über Geschmack läßt sich nicht streiten. Nein, auf
lateinisch. Er memoriert mit mir: disputandum. Rolf
weiß am heutigen Sonntag besonders viele lateinische
Sätze, und die Straße unterm Fenster ist hart, ich müßte
mich nur noch ein Stück weiter hinausbeugen, man ist
nur einen Herzschlag vom Pflaster entfernt. Vergil war
mit ein Greuel, sagt Rolf, aber Tacitus habe ich ge-
nossen.

Großmutter sitzt gerettet auf dem Küchenstuhl, die
Knie in warme Umschläge gewickelt. Ihr kann wirklich
nichts mehr zustoßen. Das Kleid bis zum Hals zuge-
knöpft über dem Busen, der alle seine Pflichten erfüllt

hat. Sie war immer ein anständiges Mädel, jeder mochte sie, sie war fleißig und freundlich, und der Großvater hat sie genommen, weil sie gut ins Geschäft gepaßt hat, und vor der Heirat hat die Großmutter einen Brief an die Tante geschrieben, mit der Bitte um Aufklärung. Die Tante hat ihr erklärt, wie das ist, und hat die Belehrung gegeben: Wenn der junge Stabsfeuerwerker ein anständiger Mensch ist und einen Besitz hat, dann laß dich gleich anschreiben. Sie hat es nie bereut, und Albert will seine Ehe nicht aufs Spiel setzen, man läßt sich doch nicht gleich scheiden. Warum streichelt er mich, während er das sagt? Es geht nicht ohne Lüge im Leben. Hat er das jetzt gesagt oder habe ich es gedacht? Nun redet Albert wie Rolf. Vater, Mutter, warum habt ihr mich auf das nicht vorbereitet? Warum habt ihr mir so viel verschwiegen? Warum schlägt er mich mit Worten und liegt nackt neben mir, und spricht von seiner Frau, zu der er innerlich wieder zurückfinden will, warum sagt er das mir, wie bildet man eine Kruste, damit keiner mehr in offene Wunden hineinsteigt, wie macht man es, es überhaupt nicht zu Wunden kommen zu lassen? Aufstehen, anziehen, Asche ausleeren, Spuren verwischen. Warum küßt er meine Brauen, wenn er doch zudrückte und meine Gedanken abwürgte. Verstehst du, sagt Albert, und das ist keine Frage, sondern bedeutet: So ist das!

Die Melancholie kommt leise, sie schleicht sich ein mit dem Gift, das krank macht und nicht tötet. Rolf sitzt und krümmt sich über seinen Händen, als zögen sie ihn nach unten. Seit ich es ihm gestanden habe, wandert er nachts durch die Zimmer, spricht mit sich, sucht etwas im Getränkeschrank, womit man Gedanken fortschwemmen kann. Gedanken lassen sich nicht überlisten. Nicht ersäufen. Sie kommen zurück, wenn sie wieder Land haben. Graben wieder ihre Spuren in den Sand. Gedanken sind Krebse. Aufdringlich. Wehren sich, wenn man versucht, sich gegen sie zu wehren. Kommen in anderen Gestalten wieder. Es gibt Gedanken, mit denen man sich abfinden muß, an die man sich gewöhnen muß, um sie zu überleben.

Albert ist es peinlich, daß ich eine schwache Stunde gehabt und es Rolf gesagt habe. Ob ich glaube, daß Rolf es Hilde erzählen wird? Das weiß ich doch nicht. Wie hat er reagiert? Was hat er über mich gesagt? Er muß doch etwas gesagt haben! Nein, Rolf hat über Albert geschwiegen.

Auch ich habe Gewohnheiten. Die Gewohnheit, mich vor den Spiegel zu stellen und zu denken, daß ich schreien werde und daß der Spiegel zersplittern wird von meinem Schrei. Ich habe die Gewohnheit, ein Buch zu nehmen, aufzuschlagen, zuzuschlagen, zurückzustellen, denn es ist nur ein Buch, es geschieht nichts in einem Buch, weil die Seiten schon numeriert sind. Ich habe die Gewohnheit, mich zwischen Vorhang und Fenster zu stellen und mir das Zimmer anzusehen, wie es ausschaut ohne mich. Rolf hat gute Rasierklingen. Einen Eimer holen, den Arm hineinlegen, dann kommt er heim und findet seine Frau teils neben, teils im Eimer. Großmutter würde vom Küchenstuhl fallen! Vater ratlos. Mutter würde es büßen und alle Schuld auf sich nehmen, weil das bequemer ist, so eine angenehme Last ohne Konturen, so vage Schuldgefühle lassen sich besser tragen, nur keine Details, den ganzen Ballast auf einmal, das wiegt weniger, und deshalb nimmt meine Mutter immer gleich alle Schuld auf sich, wenn es was gibt. Man bringt sich aber nicht um. Und wenn du taub und verkrüppelt bist, aussätzig, wenn du allen zur Last fällst, wenn du in einem Irrenhaus gefangengehalten wirst und man dich täglich dreimal putzen muß, man bringt sich nicht um. Ich habe die Gewohnheit, Valium zu nehmen. Da träumt man besser und hat nur Zungenbelag am Morgen. Der läßt sich ja wegwaschen. Rolf sagt, er hat irgendwo gelesen, daß die Hälfte aller Frauen valiumsüchtig ist. Aber es ist nicht erklärt worden warum. Ich habe Rolf gefragt, Rolf sagt, ich soll Albert fragen. Und warum Albert mir Valium gibt, wo er es doch Hilde strengstens verbietet. Vielleicht, um eine von uns beiden loszuwerden? Du bist verrückt, sagt Rolf, und ich sehe, daß es ihm bessergeht. Jetzt ist vieles klar. War nicht dein Großvater, der Spieler, schizophren? Und dein Vater, trinkt der nicht gern, abends?

Mit wem soll Rolf Urlaubserinnerungen austauschen? Auch dazu hat man geheiratet, damit einer da ist, mit dem man sich erinnern kann. Er will auf jeden Fall, daß ich ihn begleite. Wer möchte nicht nach Mallorca? Albert und Hilde sind nach Griechenland abgeflogen. Immer muß weggefahren werden im Sommer. Im Flugzeug erklärt Rolf, wie die Düsen funktionieren und wie das mit dem Luftdruck ist in der Kabine und draußen, und das Essen, daß das tiefgekühlt und aufgetaut ist, oder ob mich das nicht interessiert? Er flirtet mit der Hostess, obwohl sie doch eine fliegende Kellnerin ist. Das hat er zumindest mir gesagt, als ich zur AUA wollte, weil mir nichts mehr einfiel. Er fragt die Hostess lauter Sachen, die er ohnehin weiß. Auf der Karte zeigt er mir, wohin wir fliegen. Und warum ein Flugzeug fliegt. Ach so? Das langweilt dich? Wer sich in ein Flugzeug setzt, sollte wenigstens wissen, wie das vor sich geht mit Starten und Landen. Gut, dann wird er nichts mehr erklären. Er lehnt sich zurück. Es ist eng in Flugzeugen. Man kann sich nicht bewegen, ohne an Rolf zu stoßen. Und die Hostess kommt als fliegende Verkäuferin, aber ich will kein zollfreies Parfum, da kauft er eins für seine Mutter.

Rolf hat wieder Magenschmerzen und Durchfall. Kaum im Ausland, wehrt sich sein Organismus. Die ungewohnte Kost. Im Hotel Siesta Mar ist das Wasser zu weich, weil es zuwenig Kalk hat. Man merkt es daran, daß sich die Seife nicht gut abwaschen läßt. Er erklärt. Ich verstehe. Endlich. Palmen, Zypressen, Kakteen, Zitronensträucher. Rosmarin wächst im Gebirge. Rolf beschreibt seine Verdauungsstörungen, während wir frühstücken. Und wie oft er in der Nacht aufs Klo mußte, wie schlecht die Spülung funktioniert, wie rückständig die Menschen hier leben, wie arm die Leute sind, wie primitiv, wie gierig sie nach dem Trinkgeld greifen.

Weiße Schiffe am Horizont, violetter Sonnenuntergang, der Wind trägt viel Staub durch die winkeligen Gassen der Altstadt von Palma, unsere Milch in Österreich hat mehr Fett, an unseren Tankstellen wird man besser bedient, unsere Autobusse haben nicht so vorsintflutliche Auspuffe, unsere Straßen sind intelligenter beschriftet, und woher kommen die vielen Krüppel? Spanien war doch nicht dabei in unserem Krieg. Ach ja. Die hatten ihren eigenen. Mädchen mit Leinenschuhen, wenn sie lachen, lachen sie wirklich. Kinder balgen sich um Sonnenblumenkerne. Die blaue Bucht bei Deyá, der hochgelegene Friedhof, hier wurden die Leute über hundert Jahre alt, der jüngste Tote ist achtundsechzig, woran kann der gestorben sein? Mandelmilch trinken wir, Männer sitzen auf Felsen und angeln, das Wasser kommt und geht und kommt und geht, die Möwen fliegen, ohne zusammenzustoßen, und im Flugzeug studiert Rolf wieder die Sicherheitsanweisungen, flirtet mit keiner Hostess, weil er sich schmutzig und müde fühlt nach diesem Urlaub, wir haben ja doch wieder nur gestritten, und er hat wirklich kurze Hosen getragen und eine Schirmmütze! Ich schämte mich, und schämte mich dafür, daß ich mich schämte. Und daß er gar nichts merkte, und dafür, daß ich unter allen Möglichkeiten Rolf gewählt habe.

Karl hat sich verliebt und ist freiwillig in die Trinker-heilanstalt gegangen. Mehr weiß die Mutter nicht, nur: Das Mädchen hat ein uneheliches Kind, arbeitet als Bankangestellte, hat auch einen Volkswagen, ihre Eltern sind gegen Karl, und sie hat mit Karl einen Pakt geschlossen. Wenn Karl zurückkommt und zwei Jahre nicht trinkt, werden sie heiraten. Seine Mutter ist sehr froh. Seine Geschwister wollten ihn ja früher schon zwingen, mit dem Alkohol aufzuhören. Denn wenn er sehr betrunken war, sagte er oft, er würde ein Feuer anzünden und sich und alles, was er geschrieben hat, verbrennen. Weil er es ja doch zu nichts bringt als Schrift-steller, was doch immer sein Traum war. Die Mutter hat einen kleinen Wagen mit Kartoffeln beladen. Es ist der Kinderwagen, in dem sie der Reihe nach saßen. Karl und seine Geschwister. Früher. Früher, als ich beim Mittages-sen zusah, wie Vater mit der Gabel ein Muster ins Tisch-tuch zeichnete, während er aufs Essen wartete. Das mußte so sein. Die Serviette und die Gabel und das Warten waren da, damit Vater Muster zeichnete. Die dicke Ader an Vaters Schläfe war da, weil Väter Adern haben müssen an den Schläfen. Besonders beim Kauen.

Ich gehe zurück in die Wohnung, in der Rolf und ich kauen und Muster zeichnen. Schritte machen, nicht stürzen, nicht heulen, Heu sein in Alberts Hand und vermodern, wenn er es wegwirft, er ist so braun aus Griechenland zurückgekommen, ich möchte wissen, ob er am ganzen Körper so braun ist. Hilde anrufen und fragen? Am Stadtrand sitzen alte Frauen auf den buntlackierten Holzbänken, die der Verschönerungsverein unserer kleinen Stadt gestiftet hat. Auf jeder Bank steht auf einem Metallschild zu lesen, woher die Bänke stammen. Die Frau des Verschönerungsvereinsobmanns ist auch valiumsüchtig, heißt es. Wenn sie besonders freundlich grüßt, steht sie gerade unter Höchstwirkung. Alberts Auto fährt an der Promenade vorbei. Er macht ja Krankenbesuche. Auch mein Vater hat viel zu tun, wenn er aus dem Urlaub zurückkommt. Mein Vater hat Alberts Urlaubsvertretung übernommen. Albert grüßt mich unauffällig. Er hebt nur den Arm aus dem offenen Autofenster. Rolf meint, ich solle mir nichts einbilden. Albert habe viele Patientinnen. Mutter sagt, wenn die Weiber einen weißen Kittel sehen, werden sie gleich romantisch. Und viele lassen sich öfter als nötig untersuchen. Und eine hatte noch das Preisschildchen am neuen Höschen hängen, als sie sich vor Vater auszog.

Eine Phase des Schweigens. Es bröckelt ab, und der Sand rieselt, als einziges hörbar. Wir sagen uns guten Morgen und guten Appetit. Das Fleisch ist grobfasrig, woher hast du es? Von nebenan. Wo warst du gestern? Mit Albert. Ich kann es dir nicht verbieten, sagt Rolf. Ja, ich weiß. Und wenn ich dich bitte, Albert nicht mehr zu treffen? Was hättest du davon, wenn ich Albert nicht mehr sehe? Nein, wir sagen nichts. Wir sagen nur guten Morgen und guten Appetit. Das Fleisch ist in Ordnung.

Albert schlägt meine hohlen Hände auseinander. Er will nicht, daß ich das Wasser aus dem Tümpel trinke, in dem wir gebadet haben. Letzte Herbstwärme. Ein Hasenkadaver war das Weiche, auf das ich getreten bin. Albert sagt, von solchen Gewässern kriegt man Typhus. Was ist Typhus gegen dich, Hilde und Rolf! Dumme Gans. Ja, ich bin so dumm. Ich werde eure Spielregeln nie kapieren. Und im Winter kommt eine trübe Zeit, vielleicht bringe ich mich um. Sei nicht kindisch. Sei nett zu Rolf. Machen wir das beste draus. Rufst du mich heute noch an? Um fünf ruft er aus der Ordination an. Er sagt, daß er gerade eine Wurstsemmel ißt, mit einem grünen Paprika. Den zerbeißt er an meinem Ohr, ich höre es krachen, und daß er mich natürlich liebt, sonst hätte er sich doch nichts mit mir angefangen. Daß er jetzt Schluß machen muß, weil ein Patient kommt. Gallenkolik. Und ob er mir wieder die Vitamine verschreiben soll. Vorsicht mit dem Valium. Nur nehmen, wenn das Kribbeln unter der Kopfhaut zu stark wird. Natürlich ist die Liebe eine hormonelle Angelegenheit. Und es läßt sich alles, auch das höchste Gefühl, auf den Geschlechtstrieb zurückführen. Und daß jeder Mensch bis zu einem gewissen Grad einsam ist. Daß er jetzt aufhören muß, nicht wegen der Telefonrechnung, sondern weil die Gallenkolik soeben geläutet hat.

Jedes Jahr im Herbst wird eine Freundschaft gefeiert, die wir Frauen nicht verstehen können. Das gibt es nur unter Männern, daß sie sich richtig wohl fühlen in Rudeln. Da sitzen sie und haben Haare verloren und Redensarten und Fett angesetzt, und Kinder. Die Ehefrauen vergleichen Lippenstifte und Parfums in der Toilette. Aus der anderen Abteilung tönt Lachen. Worüber lachen Männer beim Urinieren? Keine Frau wird das je ergründen. Hilde hat zuviel getrunken, jetzt wird ihr schlecht, sie beugt sich über die Muschel, will nach Hause. Ihre ausdruckslosen Augen! Sie wird von Frösteln geschüttelt, während ich sie in Rolfs Auto heimfahre, meinen Arm um sie lege, wie Albert seinen Arm um meinen frierenden Körper gelegt hat, wenn er nichts zu sagen wußte. Es ist schon hell. Taschentücher aus Rolfs Handschuhfach für Hilde. Sie möchte sich ausweinen, nicht gerade bei mir, aber sie tut es nun doch, nachdem sie gesagt hat, daß ich meinen Mann lächerlich gemacht habe, eine kleine Hure bin, in ihre Ehe einbreche, daß sie es schon lange weiß. Ich bin doch ein Mensch, sagt sie, kein Vieh in einem Käfig, das man nur füttert und bestaunt, warum vertraut er sich mir nicht an, warum hält er mich für verständnisloser, als ich bin? Das bin ich ja gewöhnt von ihm, daß er seinen Schwanz überall hineinsteckt. Entschuldige! Hilde erschrickt und heult, und sie liebt ihn doch, er und sie gehören zusammen, warum hat er ihr zwei Kinder gemacht und sie auf ein Podest gestellt, von dem sie nicht herunterkann, weil er alles so hoch hinaufgeschraubt hat, manchmal möchte ich ja herunterspringen, aber in meinen Träumen ist immer nur Wasser, immer träume ich von Wasser, sagt Hilde, und ich könnte die Wände hochklettern, wenn er nicht heimkommt, und früher ist er auch spät heimgekommen, abends, aber ich war nur ängstlich, es sei ihm etwas passiert.

Wie hat sich das abgespielt? Hilde schaut mich verwundert an. Du weißt nicht, wie sich so was abspielt? Kommt dein Mann nie spät nach Hause? Nein, Rolf ist pünktlich. Das hat sich in den ersten Jahren immer gleich abgespielt, sagt Hilde, da liege ich und warte und warte, und da kommt er und sagt, er weiß, daß er ein schlechter Mensch ist, und ich sage: Blödsinn, und er umarmt mich, und ich bin froh, daß er mich umarmt und nett ist zu mir, und er sagt, daß er mich liebt, und dann schnarcht er. So hat sich das abgespielt. Und jetzt? Jetzt weiß ich, daß er ein feiges Schwein ist, und wenn ich könnte, würde ich ihm einen Tritt geben. Rolfs Taschentücher reichen nicht aus. Sie schneuzt sich in mein italienisches Seidentuch, bedankt sich fürs Heimbringen und sagt, ich soll vergessen, was sie mir vorgeplärrt hat, alles nur halb so schlimm, ab und zu verliert man eben die Nerven, das kommt vom Trinken.

Sonntagsspaziergang, Alberts kleiner Sohn wirft mit Kastanien, Alberts kleine Tochter weint, bist du auch eine Mutter, fragt der Junge im Gastgarten. Nein. Warum trinkst du dann einen Kaffee? Er versteckt sich hinter einer Ulme und will, daß wir ihn suchen. Wir suchen ihn nicht. Er kommt und spuckt auf Hildes neues Kleid. Hilde weist ihn zurecht und verspricht ihm ein Spielzeug für Montag, wenn er brav ist. Ich will kein Spielzeug mehr, sagt Alberts Sohn. Er hat ein Muttermal am Kinn. Ich erzähle, daß Karl mir einen Brief aus der Trinkerheilanstalt geschrieben hat. Er habe sich vor seiner Einlieferung als lebender Toter gefühlt, seine Freunde seien langsam und schweigend von ihm gegangen, er habe sich hin und wieder in ein Mädchen verliebt, aber es war nie Liebe gewesen, und er wollte doch immer eine richtige Liebesgeschichte schreiben, aber er habe nur die Schreibmaschine angeglotzt und die Bücher, die ihm nichts mehr sagen konnten. Alberts Sohn bekommt eine autoritäre Ohrfeige, weil er während meiner Erzählung mehrere Male auf Hildes Kleid gespuckt hat. Sie hörte also zu. Aber jetzt seufzt sie nur, und Albert und Rolf reden über Fernsehantennen.

Als ich noch nicht mit Rolf und Albert allein war, als Blitz das Haustier war und ich das Wohnungstier, wenn Blitz die Augen zusammenzog und aussah wie ein Chinese, da sprach ich fließend chinesisch mit ihm und italienisch, und in allen Sprachen. Ich spielte Blitz meine Theaterstücke vor, und wenn Rolf heimkam, spielte ich weiter: Ich öffnete die Arme, ließ Rolfs müdes Haupt an meine Schulter sinken. Denn Rolf hat nie einen ordinären Kopf gehabt, immer ein Haupt. Blitz applaudierte nicht, wenn ich für Rolf spielte. Er durchschaute das Spiel und sah einen Zweck. Was fehlt dir? fragte Rolf, ganz am Anfang noch neugierig, weil manche meiner Blödheiten ihn zum Lachen bringen konnten. Also, was fehlt dir? Ich glaube, mir fehlt ein Lebensinhalt. Erstaunte Blicke von Rolf und Blitz: Sind wir keiner? Verantwortung brauche ich, ein Interesse. Du interessierst dich doch für nichts! Das kann sich ändern. Meinst du? Ja. Wenn ich dir von meinem Beruf erzähle, sagte Rolf, gähnst du durch die Nasenlöcher. Weil ich deinen Scheißberuf nicht verstehe! Wie? Rolf, verstehst du vielleicht deinen Beruf? Natürlich. Also, was machst du so den ganzen Tag? Um Himmels willen, dachte er, sie fragt schon wieder so idiotisch. Verstehst du die VÖEST, Rolf? Natürlich. Könnte ich mich als deine Frau mit deiner Arbeit identifizieren? Ja, das könntest du. Identifizierst du dich mit deiner Arbeit? Ja, das tue ich. Zum Teufel, dachte er, ich will endlich essen. Arbeite ich dadurch, daß ich für dein leibliches Wohl sorge, an der VÖEST mit? Aber klar,

mein Schatz! Und auch am Staat? Freilich, mein Lieb-
ling. Liefert die VÖEST auch Stahl für Waffen nach
Afrika? Wie kommst du darauf, mein Schatz? Er sagt,
daß ich zuviel Phantasie habe. Ich weigere mich, Nudelsuppen zu kochen für einen, der in einem Betrieb, in
dem Stahl, mit dem Waffen und so fort, kurz, daß ich
mit meinen Nudelsuppen nicht Leute umlegen will.
Rolf findet, das sei wohl die an den Haaren herbeigezo-
genste Ausrede einer Frau, die nicht gern im Haushalt
tätig ist. Vielleicht hat er recht. Aber das mit der Phantasie erinnert mich an Vater. Wenn ich an eine Kindheits-
beobachtung erinnerte, wenn ich sagte: Vater, du hast
doch damals zu diesem Mann das und das gesagt. Herrgott, dieses Kind hat eine Phantasie, hieß es dann. Rolf
fragt, ob ich vielleicht meine Tage habe. Nein, Tage
habe ich schon lange nicht mehr. Bist du schwanger?
Ich bin gar nichts. Ich bin nur ich, und du hast mich
gewollt, und jetzt hast du mich eben und siehst, was du
hast, und wenn du es merkst, dann bin ich dir wieder
nicht recht. Ich wollte eine normale Frau haben, sagt
Rolf. Warum stellt er sich nicht eine Wirtschafterin an?
Warum leistet dieser Automat sich keine Hure? Weiß
er, wieviel er mir schuldig wäre, wenn ich eine Hure
wäre? Rolf sagt, wenn ich eine wäre, müßte ich viel
dazulernen. Was, zum Beispiel? Parieren, zum Beispiel.
Jede Hure hat ihren Zuhälter. Ich würde aber als frei-
schaffende Hure arbeiten. Und wer beschützt dich?
Blitz! Es gibt Blindenhunde, Wachhunde, warum gibt
es keine Hurenhunde?

Das war eine anregende Gesprächswendung, und
die Nudelsuppe so reich an Kalorien. Da knöpfte Rolf
sich den Hosenbund auf, ich bin ja eine passable Köchin
geworden, seit man mich sakramentarisch verpflichtet
hat, mich mit der Materie zu beschäftigen, und eine

Hure will ich jetzt auch noch sein, was brauchte er mehr, und er hat, was er will, legalisiert, ich auch, brauche nicht in Kälte und Schnee auf der Straße zu warten, ich habe meine Stammkundschaft, ihm kommt es billiger, und das ist die Sicherheit, die er mir gibt. Dann half er beim Tischabräumen, immer hat er eine Absicht, wenn er zupackt, und damals honorierte er eine Sonderleistung, und später wurde er mißtrauisch, dachte lange nach, wie er so saß und nichts sagte, fragte, was ich so lese und tue, wenn ich allein zu Hause bin, ob ich ein Doppelleben führe in Gedanken oder Taten, und ich sagte: Wo denkst du hin. Obwohl ich tatsächlich Albert ins Schlafzimmer phantasierte, wenn er zu viele Patienten hatte, und die Phantasien einer Hausfrau können dem Haushalt gefährlich werden. Eine Frau hat keine Phantasien zu pflegen als die des Mannes, und wenn der Mann nicht phantasiert, weil er Phantasien ablehnt, so bin ich moralisch nicht berechtigt, allein zu phantasieren. Außerdem: Hure hat sie gesagt. Du redest ja wie ein Mann, sagte Rolf.

Schwanger sind Sie nicht?

Der Arzt schaut die Krankenschwester an. Steriles, tüchtiges Team. Die Schwester steckt Schläuche in eine amerikanische Maschine, die für Leukämiepatienten über den Ozean gekommen ist. Blutkrebs ist nicht heilbar, aber hier kann man die vielen weißen Blutkörperchen vorübergehend herauswaschen. Dem Tod sagen: Hier Allgemeines Krankenhaus, bitte warten! Da leg ich meinen Hobel noch nicht hin und sag der Welt noch nicht ade. Ferdinand Raimund hat sich übrigens umgebracht wie Kleist, wie Tucholsky, aber der mit Gift, und Adalbert Stifter mit einer Klinge, und mein Urgroßvater mit einem Strick, wenn es auch dementiert wird von der Großmutter. Sie sagte, er habe sich nicht wirklich aufhängen wollen, er habe es nur probiert oder so getan, um die anderen zu erschrecken, und angeheitert ist er gewesen, da stürzte er in die Schlinge, rutschte aus, schrie um Hilfe, nur hörte ihn keiner, es war Nacht, und er war jede Nacht angeheitert. Diese Maschine kostet über eine Million Schilling, der Staat bezahlt das, jede Patientenreinigung kostet siebenhundert, weil man alle Schläuche nachher wegwerfen muß. Das erklärt mir die Krankenschwester genau, weil ich die Frau eines Akademikers bin und es verstehe.

Ich glaube nicht, daß Sie geisteskrank sind, sagt der Arzt, nur schwermütig. Wenn der Apparat nicht funktioniert, er meint den Lebensmotor, meine Galle und meine Leber, von wo meine Übelkeiten kommen, dann wirkt sich das auf die Stimmung aus. Also macht er ein Blutbild. Die Krankenschwester zapft mich an. Sie hat ein rundes, starkes Kinn, trägt Ohrringe, riecht frisch und wirkt sehr zufrieden mit allem: Mit dem Arzt, der ihr Mann oder Geliebter ist, mit der Maschine, die sie mit den Menschen und mit dem Mann verbindet. Sie arbeiten zusammen. Das ist es. Ich glaube, die Schwester und ihr Arzt verstehen einander gut. Machen Sie sich frei, sagt der Arzt. Er meint: Kleid und alles übrige auszuziehen. Tut das weh? Nein. Und da? Auch nicht. Und jetzt, tut es hier weh? Nein, jetzt tut es gut. Er wird rot! Das sagt man nicht, wenn einer nur aus medizinischen Gründen freundliche Körperteile freundlich berührt. Trotzdem tut es gut, und ich möchte weinen, weil er alles so angenehm macht und nichts fragt außer: Kinderkrankheiten? Das ist leicht. Gelbsucht, Masern, Röteln, Mittelohrentzündung. Ich habe alles gehabt. Blinddarm und Mandeln herausoperiert. Auch war ich in meinen Mann einmal verliebt. Herausoperiert. Er küßte mich zum erstenmal, als ich zehn war, er sechzehn, meine Wange wurde ganz naß, er schob sein Fahrrad nach Hause, ich trug meinen ersten Kuß nach Hause, stellte mich auf einen Stuhl, im Waschbecken unterm Spiegel schwammen Friedas eingeweichte Strümpfe, ich betrachtete meinen ersten Kuß im Spiegel. Frieda durfte alles wissen, weil sie mein Kindermädchen war und mich aufklärte. Aber Mutter stritt ab, daß die Kinder von dort kommen, woher sie nach Friedas Behauptungen kamen, und meine Mutter schlug mich auf die Wange und zerschlug den Kuß, weil man nicht mit so einem Rolfi Maikäfer fangen geht, wenn es heuer keine Maikäfer gibt, und weil die Mutter von diesem Rolfi angerufen hatte zu Hause, voll Sorgen, und vielleicht habe ich ihn bis zur Hochzeit geliebt, weil sie mir den Kuß zerschlugen ohne Vorwarnung. Der Arzt legt liebevoll einen Schlauch um meinen Arm. Die Schwester schaut ohne Eifersucht zu. Ich bin ja nur ein Fall. Heulen könnte ich. Aber das ist nur Blutdruckmessung und mein Blutdruck ist ganz normal.

Geisteskranke wissen doch nicht, daß sie geisteskrank sind, sagt der Arzt. Ich? Nein, sie, die Geisteskranken, wissen nicht, daß sie geisteskrank sind. Ihr Mann als Techniker hat doch nicht das Recht, eine Diagnose zu stellen, sagt die Schwester. Ich bin nur Internist, sagt der Arzt, auch ich würde nie eine Diagnose stellen, die nicht in mein Gebiet fällt. Vielleicht sind Sie schwanger. Die Schwester füllt mein Blut in mehrere Glasröhrchen. Plötzlich legt sie den Finger auf den Mund: Ich soll nicht von Selbstmord reden, jetzt ist die Patientin mit der Leukämie gekommen. Der Arzt zieht einen Vorhang zwischen die Frau und mich. Ich habe nur gesehen, daß sie ein bräunlichblaues Gesicht hat. Könnten wir nicht tauschen, die dort und ich? Wir würden uns gegenseitig helfen. Machen Sie sich unfrei. Ziehen Sie sich an. Warum bin ich nicht verrückt? Wenn sie wüßten, wie es in meinem Kopf tobt. Ich würde ihn gern unter eine rotierende Säge halten, damit das Geräusch da drin aufhört.

Warum möchten Sie unbedingt verrückt sein, fragt der Arzt. Rauchen Sie? Die Schwester hört, daß er im Begriff ist, eine Zigarette anzuzünden, und reicht einen Aschenbecher durch den Vorhang. Ich habe Angst, es zu sein, und das gibt einem eben das Gefühl, daß man verrückt ist, weil man ja nicht verrückt ist und es aber glaubt, und so weiter. Haben Sie nie Angst? Der Internist schüttelt den Kopf. Keinen Lebensüberdruß? Nein, wirklich nicht. Er hat ja diese schöne Arbeit und die Schwester. Die beiden haben so viel. Er hält sich nicht für verrückt. Also sind Sie vielleicht geisteskrank, weil Sie glauben, daß Sie normal sind? Er lacht: So einfach ist das nicht. O ja, ich glaube, das Leben ist ganz einfach. Aber weil wir von der Einfachheit zurückschrecken, machen wir Schnörkel hinein und verstecken uns in ihnen, und wer nicht die Schnörkel will, der hat die Einfachheit, und das macht lebensuntüchtig.

Weiter? Weiter kann ich nicht. Ich habe das in mein Wirtschaftsbuch geschrieben, als der Reis teurer wurde. Mein Mann hat früher gern im Wirtschaftsbuch gelesen, weil er mich so unter Kontrolle hatte, in jeder Hinsicht. Aber jetzt mache ich keine Eintragungen mehr, weil ich ein Verhältnis habe mit einem anderen Mann. Deshalb also wollen Sie auf keinen Fall schwanger sein, sondern verrückt, sagt der Internist. Wie kann ich ihn davon überzeugen, daß ich krank bin? In letzter Zeit ist mein Mann auch sehr beunruhigt, weil ich jeden Tag das Gegenteil von dem sage, was ich am Vortag behauptet habe. Das hebt sich doch jeden dritten Tag wieder auf, sagt der Internist, und Sie haben nur zwei Meinungen. Nein, es ist immer wieder ein neues Gegenteil! Dann sind Sie unstet, das macht doch nichts. Aber er mag es nicht, daß ich unstet bin. Wer? Mein Mann! Er hat ganz auf meinen Mann vergessen. Weil er schon an die nächste Patientin denkt, die, deren Blut da hinterm Vorhang gewaschen wird.

Auch der Neffe von Beethoven wollte sich umbringen. Weil mich der Onkel so sekkiert hat, sagt er. Beethoven war ein Geizkragen und kontrollierte seine Wirtschafterin. Ging heimlich auf den Markt und zählte, wieviel Löffel Zucker seine Köchin in den Kaffee warf und ob das mit seinen Berechnungen übereinstimmte. Beethoven und Rolf, die großen Sparer. Der Internist sagt, er wird mich vom Ergebnis der Blutproben verständigen. Dann läuft mir die Krankenschwester nach, in den Korridor, wo lauter Kranke sitzen, die es gut haben, und sie sagt, sie wird mich anrufen, sobald etwas da ist oder es mir schreiben, ich brauche nicht wiederzukommen. Die, die hier in den Gängen sitzen, das sind Leichen, und sind noch warm.

Warum glaubt mir keiner, daß ich krank bin? Ist es ein gesunder Gedanke, wenn ich jeden Monat voll Sehnsucht auf die Bauchschmerzen warte, damit mein Kind verschont bleibt, wenn ich *gerettet* denke bei allen meinen ungeborenen Kindern, jeden Monat, und wenn ich wirklich lieber tot wäre als lebendig? Das sind Krisen, sagt Albert, und wenn du erst ein Kind hast, wirst du sehen, wie du dich änderst: Du trägst Verantwortung und hast lebendiges Material. Und ich? Du wirst dann an dein Kind denken und nicht mehr an dich. Der Krankenhausportier schaut mich gar nicht an, wie ich so gesund an der Loge vorbeigehe. Auf Gesunde, die ins

Krankenhaus gehen, ist man nicht neugierig. Sind Hausbesorger nie neugierig an sich? Rolf hat gesagt: Hausbesorgerinnen sind neugierig. Du bist manchmal wie eine Hausbesorgerin. Weil ich wissen wollte, wer da über unserer Wohnung auf und ab ging in der Nacht. Wer da oben auch nicht schlafen konnte. Das geht dich nichts an, sagte Rolf, sei nicht neugierig wie eine Hausbesorgerin. Ob ich Blähungen habe, wollte der Internist wissen. Ja, nein. Was meinte er? Ob ich Bauchschmerzen habe. Nein, eben nicht. Aber das Herz. Und die Übelkeit jeden Morgen beim Aufwachen. Das Herz tut weh bis zum Arm. Vom Rauchen? Oder Sie sind schwanger, sagte er. Wenn wir die Befunde haben oder Sie inzwischen die Monatsblutungen kriegen, dann ist alles klar. Klar. Das hat er wirklich gesagt. *Klar.* Und die Frau hinterm Vorhang weiß nicht, daß sie sterben muß. Das sagt man ihr nicht, weil es keinen Sinn hat. Sie glaubt, sie ist fast gesund.

Bitte denk nach, sagt Rolf. Analysier dich selbst. Das zitronengelbe Kleid fällt mir ein, immer wieder, und ich kann an nichts anderes denken. Worum ging es damals wirklich? Du hängst an Kleinigkeiten, würde er sagen, also tue ich, als ob ich nachdächte, aber ich denke an das Kleid. Du bist nachtragend, würde er sagen. Ja, das bin ich. Alles trage ich nach, alle Steine, über die er springt, sammle ich ein und trage sie nach, und das zitronengelbe Kleid kann es doch nicht sein. Mir scheint, du brütest etwas aus. Unzufrieden, weil du keine Arbeit hast? Er sagt: Ich habe gesagt, wenn du arbeiten willst, dann arbeite. Und wie war das mit dem Steuerberater? Du bist in sein Büro gegangen, hast den Brief nicht einmal zu Ende getippt, mitten im Diktat bist du wie eine

Wahnsinnige aufgesprungen und hast erklärt, du willst lieber doch nichts arbeiten. Wer soll dich denn noch ernst nehmen? Zur Not lasse ich mir einreden, daß Zahlen dich nicht interessieren. Aber daß Zahlen einen deprimieren, daß man Schweißausbrüche bekommen kann beim Anblick von Zahlen, weil man sie nur abtippen und sich nichts darunter vorstellen kann? Du mußt dir doch nicht unter allem etwas vorstellen können! Als Bürohilfe hilft man eben dem Büro, fertig! Und in einem Steuerberatungsbüro schreibt man die Briefe, verdammt, die einem der Steuerberater diktiert! Er kennt sich schon aus, keine Sorge. Und ob man die Leute, die man mit lieber Herr oder sehr geehrter anredet, mag oder nicht, nicht ehrt oder nicht liebt, das ist doch zum Verrücktwerden, schreib die Briefe und Schluß! Wenn jeder so dächte wie du, also danke! Ja, sauf dich nur an. Aber kauf nicht diesen Fusel. Wir haben doch Beziehungen zur Atomenergiebehörde. Wenn ich in Wien anrufe, das mache ich von der VÖEST aus und kostet keinen Groschen, besorgt uns mein Freund Walter dort die Getränke im Duty Free Shop. Ach so, du willst keinen Rausch von der Atomenergiebehörde. Was willst du eigentlich? Vielleicht machst du mir einmal eine Liste, damit ich mich noch auskenne und mich weniger irre bei dir.

Was ich will, fragt er, aber fragt es nicht wirklich. Er sagt, daß er Streit haßt und daß ich immer den Streit vom Zaun breche. Besonders, wenn ich getrunken habe. Der Streit wächst uns aber entgegen, und die Dissonanzen sind zu Ohrwürmern geworden. Immer das gleiche Lied. Er will mir die Freiheit ausdehnen und mir einen Gebrauchtwagen kaufen, damit ich mehr Auslauf habe. Meine Boshaftigkeit: Ich will keinen Gebrauchtwagen, ich würde lieber mit einem Tretroller fahren, so wie früher. Sein harmloser Test: Zeig mir, wo die Schuhstrecker sind. Hier, Geliebter, sind deine Schuhstrecker. Jetzt nimm sie und steck sie in diese Schuhe. Warum? Frag nicht, steck sie hinein. Ich gehorche. Man weiß ja nichts, vielleicht kommt jetzt der große Gag unserer Ehe, alles war nur ein Traum, jetzt lachen wir gleich und alles wird gut. Rolf lacht nicht, obwohl die Schuhstrecker schon stecken. Er sagt, das hat er sich gedacht. Was? Die Schuhe haben sich verformt, weil ich die Strecker immer falsch hineingesteckt habe, nämlich oft den linken in den rechten und den rechten in den linken, und jetzt ist alles ausgebeult. Ich bereue wieder, Rolf nennt mich sein artiges Kind, ich sage, das ist brutal, was er gemacht hat, diesen Test, und überhaupt alles, er sagt, er wird nie mehr brutal sein, auch nie mehr sadistisch, morgen wird alles anders, ich soll nicht immer alles so ernst nehmen, er hat eben seinen eigenen Humor, und ich werfe immer alles in die Waagschale.

Warum schreibt aber der Steuerberater seine Briefe nicht selbst? Kann er nicht tippen? Und warum durfte ich am Freitag nicht das zitronengelbe Kleid anziehen? Das ist doch über ein Jahr her, das mit dem Fetzen, schreit Rolf. Fetzen, hat er gesagt, nach einem ganzen Jahr sagt er noch immer Fetzen. Also warum durfte ich vor einem Jahr, damals am Freitag, nicht das zitronengelbe Kleid anziehen? Weil du kindisch aussiehst darin. Er mag es nicht, fühlt sich provoziert, wenn ich es trage. Daß ich es liebe: gut. Aber daß ich es noch immer liebe, wo er es doch haßt, das beweist, daß ich ihn nicht liebe. Das Kleid wurde zur Machtfrage.

Rolf kaufte zwei neue zitronengelbe. Und ich versteife mich auf das alte. Da sagt er: nimm bitte Rücksicht auf mich. Alle sagen, daß du dich unmöglich anziehst und daß sie nicht verstehen, warum ich dich nicht einkleide. Du erweckst also, wenn du das liebe Kleidchen anziehst, den Eindruck, ich sei ein Egoist. Außerdem sagen alle, auch Hilde und Albert, alle sagen, daß sie nicht verstehen, warum du nicht mehr aus dir machst. Wir sind umzingelt von Sagern und Meinern, Rolf! Der einzige Mensch, der nicht dauernd eine Antwort hat und der dir wirkliche Fragen stellt, bin ich! Aber das sind Ohrwürmer.

Schminke dich sorgfältiger, schrei leiser, und außerdem ist es nicht wahr, daß unser Leben eintönig verläuft. Es gibt Abwechslungen: Montag, Dienstag, Mittwoch, Donnerstag, Freitag und Samstag. Sonntag. Und Montag, ein Vertreter aus Ried im Innkreis war da, Dienstag: vier Leute aus Graz, Mittwoch: der englische Hochschulprofessor. Donnerstag: Rolf hat der Sekretärin in den Mantel geholfen. Obwohl es betriebsunüblich ist. Er würde ihr ja, wenn es nach ihm ginge, jeden Abend in den Mantel helfen. Aber sein Chef, der, der die Köpfe rollen läßt, ist dagegen. An jenem Donnerstagabend half Rolf aber der Sekretärin in den Mantel, weil er mit ihr noch ein halb privates, halb geschäftliches Gespräch geführt hatte nach Dienstschluß. Und da wäre es ihm peinlich gewesen, neben ihr zu stehen, tatenlos, wie sie ihren Mantel anzog. Also half er ihr hinein und machte zum erstenmal eine Ausnahme. Er weiß aber nicht, wie das nun weitergehen soll. Er kann nicht als einziger im Betrieb in seiner Abteilung der Sekretärin in den Mantel helfen. Wie hätte er handeln sollen? Ich finde, er hat richtig gehandelt. Er findet es auch. Wir verstehen uns. Ich finde, er sollte ihr in den Mantel helfen, wenn er das will und sie auch. Er sagte, er versteht meinen Standpunkt, und er teilt ihn, aber das würde den Usus durchbrechen.

Wohin mit dem Zettel? Da steht, daß ich in sieben Monaten entbinden werde. Eisen und Vitamine genug, um ein gesundes Kind zur Welt zu bringen. Das sagte doch der Internist: Sie sind kräftig. Ein Kind mit einem Muttermal? Beim Spaziergang mit Albert wird ein Wunsch abgewürgt, bevor er noch ganz ausgesprochen ist. Halbe Sätze tropfen aus seinem Mund. Die Unterlippe schiebt er vor wie einen kleinen roten Löffel, mit dem er Medizin in niedriger Dosis und genauer Tropfenanzahl verabreicht. Ein Ei ist kein Huhn, und das Ei muß weg. Wenn Albert es sagt. Und wie er es sagt. Wie Albert plötzlich ein anderes Gesicht bekommen hat über dem Zettel mit der Frohbotschaft. Es schrumpft von Minute zu Minute, und der Körper wächst und wächst, die Augenbrauen werden zu Antennen. Albert fährt sich ruckartig und viele, viele Male durch die Haare. Soviel Gebüsch über einem so kleinen Gesicht. Warum hast du keine Pille genommen? Weil ich mich auf etwas Unmögliches verlassen habe. Ist es wirklich unmöglich? Albert spricht von Erpressung. Um ihm zu beweisen, daß ich keine Erpresserin bin, fahre ich gleich mit ihm. In die Ordination. Vorhänge zu. Leg dich auf den Tisch. Beiß die Zähne zusammen. Beine auseinander, locker, halte dich ganz locker, rutsch weiter vor, das ist doch keine Affäre.

Ich begreife nichts mehr. Bin ich überempfindlich, weil ich mich gedemütigt fühle? Daß er mit diesem großen Eisenhaken kommt. Wie oft hat er so was schön schnell erledigt? Er entschuldigt sich dafür, daß er es ohne Narkose tun muß. Aber du hast ja zwei Injektionen bekommen. Das bißchen Schmerz ist nur der Krampf. Die Gebärmutter muß sich öffnen, verstehst du? Ich habe eine Gebärmutter. Jetzt, wo sie beraubt wird, fällt mir das erst richtig ein, daß ich eine habe.

Albert schabt geschickt. Er macht das mit denselben Händen, die er noch gestern und vorgestern auf meine Schenkel legte. Da waren sie so gut. Diese Hände. Immer hat er diese Hände bei sich gehabt, von Anfang an. Komm runter, wir sind fertig. Ich ziehe Höschen, Strümpfe, Schuhe und Kleid an und kann es noch immer nicht glauben. So schnell also geht das. Wenn ich je ein Kind haben sollte, wird es nie mein erstes sein. Das liegt in einem Eimer. Ein glasiges Klümpchen, ein paar Tropfen Blut auf Zellstoff.

Die vielen Stufen hinauf, da ist ein Lift, aber er hat eine Tür, und ich kann keine Türen mehr öffnen, nur noch den einen Knopf drücken, und wenn die Tür aufgeht, schreie ich einfach Hilfe. Das muß so einer gewohnt sein, daß ihm Leute einfach in die Ordination fallen und irgend etwas schreien. Aber ich grüße, als der Mann in der Tür steht, so ein kleiner Mann mit runden Brillen, was wird der helfen können. Er verbarrikadiert sich gleich hinter einem riesigen Tisch. Was kann ich für Sie tun? Also, der Mann, den ich liebe, hat mein Kind umgebracht, mit einem Mann, den ich nicht ausstehen kann, bin ich verheiratet, der hat meinen Hund eingeschläfert, und ich will nicht mehr leben, weil ich mich selbst nicht mehr ausstehen kann, das Kribbeln unterm Kopf, wie Käfer zwischen Schädeldecke und Hirnhaut, und morgens wache ich auf, weil mein Herz unter einer Klaue zuckt, tagsüber möchte ich am liebsten irgendwo unter einem Teppich liegen, nachts wünsche ich mir nichts sehnlicher als einzuschlafen und nie mehr aufzuwachen, und ich schlafe so tief, daß ich erschrecke, wenn ich plötzlich wieder da bin, weil das Herz so zuckt, und ich schwitze, sehen Sie, ich transpiriere, mein Vater ist Arzt, er hat mir aufgetragen, immer

Transpiration zu sagen und statt Eiter Sekretion, bitte helfen Sie mir.

Der kleine Mann sagt, daß ich die Symptome einer neurovegetativen Störung habe. Es gibt ein Medikament, davon nehmen Sie eine Pille nach dem Frühstück und eine nach dem Mittagessen. Vorsicht mit Alkohol. Wenn das nach einigen Tagen keine Wirkung zeigt, kommen Sie wieder. Macht fünfhundert Schilling. Wenn Sie keine Honorarnote brauchen, verrechne ich Ihnen nur dreihundert Schilling. Beim nächstenmal und wenn Sie regelmäßig kommen, vielleicht zu einer Gesprächstherapie, kostet es entsprechend weniger. Der kleine Mann steht auf und begleitet mich in ein anderes Zimmer. Er gibt mir die Hand und drückt zu. Er will, daß ich die Hand wieder loslasse. Das ist eine Regel, Nehmen, Loslassen, was man alles tut mit seinen Händen. Er dankt und schiebt mich hinaus.

Bahnhöfe, Bahnhöfe mögen die Leute nicht, feuchtkalte, klebrige Bahnhöfe, mit Gleisen, die man nicht überschreitet, weil nur die Bahnhofsversicherten darüber dürfen, das Leben, es ist eben so, meine Schwiegermutter strickt es in graue Wollsachen, das ganze Leben, das Leben ist ein kürzeres oder längeres Warten, unterbrochen von Vertröstungen und größeren und kleineren Barauszahlungen, der Schaffner kommt, er interessiert sich nur für meine Fahrkarte, das Leben ist viel zu lang, als daß man es, das Leben ist kurz, meine Liebe, man soll alles nicht ernster nehmen, als es ist, du nimmst alles viel zu leicht, jemand liest hier eine Zeitung. Irgendwo kämpfen die Türken gegen die Griechen, helft den Griechen gegen die Türken, helft den Libanesen gegen die Libanesen, litt an Depressionen, steht dann in der

Zeitung. Mutter von vier Kindern hat eine Sprengkapsel im Mund zerbissen, Föhnwelle bringt siebenundzwanzig Selbstmorde, etwas tun, du mußt jetzt endlich etwas tun, tu jemandem weh, aber tu etwas, such dir eine Religion aus, eine Partei, lies dieses gute Buch, schau zum Fenster hinaus. Der Zug fährt an Kühen vorbei, Kühe wird es täglich geben, obwohl wir täglich ihr Fleisch fressen, die Spinne frißt ihr Männchen nach dem Koitus, der Mensch ist Gottes Ebenbild, hab keine Angst, solange es Menschen gibt, Angst mußt du haben, solange es Menschen gibt, wie war es denn, fragt Rolf, der pünktlich auf dem Bahnsteig steht. Teuer, sage ich. Ja, das hat er gewußt, daß psychiatrische Behandlung teuer ist. Wie fühlst du dich? Gut. Meiner Ansicht nach brauchst du keinen Psychiater, sagt Rolf, sondern einfach mehr Willensstärke. Du läßt dich gehen, und du tust dir selbst viel zu leid. Ja, sage ich, und übermorgen ist Sonntag. Übermorgen müssen wir meine Mutter besuchen, sagt Rolf. Übermorgen werden die Menschen die Häuser verlassen, um sich ein wenig auszulüften. In Sonntagskleidern. Sonntags schreiten die, die sonst laufen. Jeder hat seine Art, sich fortzubewegen. Man erkennt jeden Menschen an seinem Gang. Rolf sagt, ich hebe die Füße nicht. Albert geht immer mit geducktem Kopf. Rolf macht lange Schritte. Er überholt und flucht. Fahr schneller, Trottel. Ja, fahr bitte schnell, schneller, vielleicht schmilzt etwas in der Flugkraft, vielleicht lötet uns etwas zusammen, oder zerdrück mir den Schädel, wenn wir zu Hause sind, wenn wir schon nicht reden können miteinander, rede mit den Käfern, sag, sie sollen aufhören, ich hab meine Lektion gehabt, und ich bin aufs Maul gefallen, so wie du es dir gewünscht hast, du wolltest das doch sehen, was ich tue, wenn ich einmal die erste Ohrfeige vom

Leben einstecke. Der Wagen hat einen Fehler, sagt Rolf, die Scheibenwischer machen zuviel Lärm.

Mutter will nicht, daß ich ihnen das antue. Wie stehen sie jetzt da, das Gerede in der Kleinstadt, und ob ich mir das auch gut überlege. Die Leute sind schadenfroh. Dein Vater würde sich zu Tode kränken. Rolf gehört zur Familie, und in jeder Ehe gibt es Schwierigkeiten. Einen Psychiater bezahlen, das ist nicht nur ein finanzielles Problem, sondern ein spezielles. Du kannst nicht zweimal wöchentlich nach Wien fahren, das siehst du doch ein. Und wenn du in Linz psychiatriert wirst, würde es bald durchsickern. Rolf ist eine Persönlichkeit in Linz. Außerdem kostet es Geld, und die Psychiater haben doch selber alle einen Vogel.

Mutter sagt, ich soll Vater nicht belasten, und warum wir nicht endlich ein Kind bekommen, Rolf und ich, ein Kind würde dich ablenken. Mein Vater sitzt im Wohnzimmer über seinen Landkarten. Jedes Jahr, wenn der Sommer droht, zeichnet er Fluglinien ein, die er aus dem Prospekt abliest, den Rolf ihm geschenkt hat, auch das Lineal ist von Rolf. Vater stellt sich Flüge vor, Peking, Moskau, alles auf der Landkarte und möglich, eine reine Geldfrage. Der Traum ist käuflich geworden. Ich darf diesen Traum doch nicht unterbrechen und ihm sagen, daß ich seine Hilfe brauche. Bitte sag nichts, hat Mutter gefleht. Sie fürchtet, daß er vor Ärger dieses Jahr wieder den ganzen Sommer zu Hause bleiben wird. Ach so, sagt er, ach so, und wird ganz bleich und alt, seine Wangen sind auf einmal so dünn, ach, so ist das, sagt er. Dann holt er meine Mutter. Immer gehen sie ins Schlafzimmer, wenn sie etwas Ernstes zu besprechen haben.

Vater sagt Mutter, was er über mich denkt, sie sagt mir, was Vater gesagt hat, die Großmutter kommt und will ins Schlafzimmer, immer will sie hinein, wenn jemand heiratet, wenn jemand stirbt, da wird immer im Schlafzimmer besprochen, was sie anziehen, ja, was werden sie jetzt anziehen? Warum geht eigentlich nie die Familie zur Scheidung mit? Ich höre Mutter schluchzen. Jetzt hat er es ihr gegeben. Großmutter steckt den Kopf zur Tür heraus, und man sieht, daß sie sich nicht auskennt. Mutter weint und läßt sich nicht beruhigen. Jetzt hat sie eine gute Gelegenheit, erlaubte und verbotene Tränen loszuwerden. Vater erklärt Großmutter, was vorgefallen ist, und jetzt sagt sie, sie hat immer gewußt: Dieses Kind hätte man im Pensionat erziehen sollen.

Rolf und mein Vater duzen einander noch. Sie bleiben wahrscheinlich verbündet. Soll ich jetzt mit Rolf in unsere Wohnung zurückgehen? Soll ich hierbleiben? Wohin gehöre ich? Rolf nimmt aber meinen Mantel und seinen Mantel. Vielleicht nimmt er meinen Mantel, weil er ihn gekauft hat. Er wird auf alle Fälle die Aussteuer zurückzahlen müssen. Vielleicht haben sie darüber gesprochen, wie sie das Geld in monatlichen Beträgen überweisen lassen. Großmutter hat angedeutet, daß sie das nicht überleben wird. Aber der Bürgermeister grüßt uns, die Trafikantin grüßt uns noch, weil sie nichts wissen, man merkt mir ja nicht an, wie ich bin, wie ich alles zerstört habe. Warum bin ich eigentlich so, nicht heulen auf der Straße, mach keine Szenen, und in der Wohnung stehen die Möbel, als wäre nichts gewesen, noch meine Küche, mein Balkon, wenn ich will, mein, unser Bett, mein, unser Fußboden, hier darf ich bleiben, wenn ich will, er ist gut zu mir, er weiß, wie ich bin, unsere Lampenschirme, unser Farbfernsehapparat, wenn ich brav bin und guten Willens, jetzt heule ich endlich, die Großmutter sollte das sehen, denn zu Hause hat sie meine Mutter angeschaut, sich über die Schürze gestrichen und auf mich geschaut: Da, sie weint, und du?

Rolf ist erschöpft. Ich habe ihn ausgelaugt in dieser Ehe. Er legt sich auf die Betthälfte, auf die er sich immer legt, weil das seine Betthälfte ist. Er liegt links und hat nie gefragt, ob wir nicht einmal tauschen wollen. Er sieht keinen Anlaß, außer, ich liege vielleicht schlecht. Nein, nur so. Laß mich einmal auf deiner Hälfte liegen. Warum? Ich will es probieren. Wozu? Er versteht es nicht, nimmt die Fachzeitung und hat unsere Zukunft aufgeblättert vor sich, wenn ich nur vernünftig bin und mich besinne. Ist es nicht ein Wahnsinn, dieses Paradies zu verlassen, nur weil der Mann hier mich langweilt? Seine heuchlerischen Spaziergänge. Er wollte nie hinaus, aber er hat mich in letzter Zeit immer begleitet, um es allen zu zeigen. Er hat nie Lust verspürt, sich noch einmal mit mir auf die löchrige Bank hinter dem Kloster der Marienbrüder zu setzen, unter den Baum, wo er vor tausend Jahren Pläne geschmiedet hat für den nassen Kuß und alle weitere Zukunft, er hat das doch alles vergessen, wenn er es wenigstens zugäbe, aber jedesmal, wenn wir in den letzten Tagen an der Bank vorbeigingen, sagte er *unsere Bank*. Weil er wußte, daß ich das dachte, sagte er es, um mir zu beweisen, daß er immer weiß, was ich denke, und Albert wird eines Tages sagen *unser Waldrand*.

Als er noch keinen akademischen Titel hatte, führten wir noch Gespräche. Ob es etwas gäbe, das jeder

Mensch habe, ganz gleichgültig wer. Da ließ er sich noch ein auf solche Spiele: Jeder Mensch hat Augen. Nicht jeder. Gut. Jeder Mensch hat Haare. Nicht jeder. Es gibt welche, die haben nirgends Haare, am ganzen Körper nicht, weil sie krank sind! Gut. Und jeder Mensch hat ein Herz. Nein, es gibt schon künstliche Herzen. Oder nicht? Warum fragst du so viel? Weil ich etwas finden will, was jeder Mensch hat. Etwas, was uns alle verbindet. Uns gleichmacht. Politisch? Nein, ganz allgemein. Menschlich! Jeder Mensch, jeder Mensch, jeder hat ein Hirn. Jetzt haben wir es. Hirn und Hirn, ist das dasselbe? Doch, mit Nuancen. Aber ich frage mich manchmal, ob wir nicht verschiedene Hirne haben, ob wir uns nicht nur einbilden, alle das gleiche zu sehen, die Farben zum Beispiel, wie denkt einer, der rotgrünblind ist? Riechen wir alle den gleichen Geruch? Das habe ich mich früher auch gefragt, sagt Rolf, und ich habe beschlossen, davon auszugehen, daß wir alle das gleiche sehen und riechen und so weiter und gute Nacht. Aber ich gehe oft davon aus, Rolf, daß es das Universum gar nicht gibt und die Menschen auch nicht, daß ich mir das alles nur einbilde. Das ist nichts Neues, das haben schon andere vor dir gesagt. Wirklich? Wer? Mit denen möchte ich einmal zusammenkommen. Sei nicht bös, sagte er, aber ich will jetzt schlafen.

Seit wir verheiratet sind, sagt er immer: Ich muß. Noch etwas, Rolf, gestern habe ich beim Geschirrabtrocknen ein wichtiges Gesicht gemacht, ich habe also vor mir selbst so getan, als täte ich etwas ganz Wichtiges, und auf einmal bin ich mir tatsächlich wichtig geworden, und das Geschirrabtrocknen erschien mir das Wichtigste von der Welt!

Wenn er schläft, weil er muß, schmiege ich mich an ihn, weil mir solche Angst kommt vor den Nächten, in denen ich allein liegen werde. Eine Puppe aus Stoff werde ich mir nähen, mit ganz langen Armen, in die ich mich einwickeln kann. Warum ich ihn verlassen will, wo ich doch zugebe, daß ich ihn brauche, würde er fragen. Weil ich muß. Wer sagt das? Ich. Und der Karl hat es auch gesagt. Wenn es der Karl sagt, wird es wohl stimmen. Wird der Karl dann auch für dich sorgen? Nein, er ist der Ansicht, daß jeder für sich selbst sorgen muß. Der Karl schrieb das von den Wegen und von der Reise.

Ich wecke Rolf, um es ihm zu sagen: Man macht sich auf den Weg, und es ist die Reise dorthin. Die anderen, deren Wege beschriftet und deren Straßen gepflastert sind, rufen dir zu, daß du in die Irre gehst. Du aber weißt den Namen des Ortes nicht, und du weißt, daß keiner dort auf dich wartet, nur du. Ja, in Kalksburg, gähnt Rolf. Der Karl sagt, ich bin wahrscheinlich eine Künstlernatur. Ohne Kunst? Der Karl sagt nämlich, es gibt Künstlernaturen, die in ihrem ganzen Leben kein Kunstwerk schaffen. Da hat der Karl aber etwas Wahres gesagt! Und du möchtest so sein wie er? Nein. Du siehst also, wie es ihm ergangen ist mit Freisein und Anderssein? Der Karl sagt, schlaf jetzt, sagt Rolf, aber ich verstehe doch alles, ich muß trotzdem ausruhen, morgen holen wir ja meine Mutter ab und bringen sie zum Bahnhof. Weißt du noch, Rolf, als sie das erste Mal nach Abbano fuhr und ihre Kur gegen Rheuma machte? Sie ist wahrscheinlich gerade im Schlamm gelegen, wie du mich entjungfert hast. Wer weiß, sagt er, ob ich dich entjungfert habe. Du hast ja nicht geblutet. Du glaubst, ich lüge? Wer sich selbst belügt, so wie du, belügt automatisch die Menschen, mit denen er lebt. Gute Nacht!

Es war so aufregend. Als er fragte, ob ich ihn heiraten würde, da dachte ich: Das Leben beginnt. Wem ein Heiratsantrag gemacht wird, der gehört endgültig dazu. Ich wollte ja immer dazugehören. Schon im Kindergarten. Aber ich gehörte nie dazu. Sie waren alle gegen mich. Ich dachte: Ich gehe in den Kindergarten, aber ich muß froh sein, daß ich zumindest so tun darf, als gehörte ich dazu. Das verstärkte sich. Besonders auf der Uni. Und da traf ich einmal den Karl, kurz bevor er das Germanistikstudium aufgab, und er sagte: Ich habe so oft das Gefühl, ich gehöre nirgends dazu. Mit so einem, der draußen stand, wollte ich nichts zu tun haben. Weil Rolf mich liebte, gehörte ich dazu. Dann gehörte ich aber zum zitronengelben Kleid. Und zu Albert. Ich wecke Rolf, um ihm zu sagen, was Karl mir gesagt hat über Verantwortlichkeit. Daß man für sich selbst verantwortlich sein muß. Rolf nimmt die Tuchent und legt sich ins Wohnzimmer. Oder hat Albert das gesagt? Es wird hell draußen.

Ich habe Rolf gefragt, ob ich ihn verlassen darf und dann zu ihm zurückkommen. Nein. Warum nicht? Weil er kein Spielzeug ist. Und habe so viel gefragt, daß er sagte: Fehlt gerade noch, daß du fragst, ob ich an ein ewiges Leben glaube und an den Nachlaß der Sünden. Glaubst du daran, fragte ich, da fühlte er sich gehänselt. Man muß vieles mitschlucken, sagte er, als ihn die Technik nicht mehr interessierte. Ich bewunderte das, obwohl er an Gastritis litt und nicht ich. Ich glaube, Rolf, daß ich immer das Falsche bewundert habe. Seit wann weißt du, was falsch ist? Du sagst doch immer, du kannst dich für nichts entscheiden, weil alles falsch und zugleich richtig ist! Aber ich glaube, das Runterschlucken ist falsch. Und weil du immer schluckst, ist vielleicht auch deine Arbeit falsch. Was hat das mit meiner Arbeit zu tun? Weil du ja nicht weißt, wohin der ganze Apparat fährt, in dem du ein Rädchen bist. Du weißt ja auch nicht, sagt Rolf, was du bewirkst durch deine täglichen Taten, Blicke, Unterlassungen. Ja, und das quält mich!

Ihn quält es nicht länger, und er will, daß wir das legalisieren. Der Richter nennt mich auf einem Papier Beklagte Partei. Rolf heißt Klagende Partei. Eine einvernehmliche Scheidung hätte bedeutet, daß Rolf, der immer weiß, was er tut und welche Folgen das haben wird, zum Zeitpunkt der Eheschließung nicht wußte, was er tat. Also nehme ich die Schuld auf mich. Ob ich etwas vorzubringen habe. Nein, ich gebe alles zu. Der Richter hat eine Narbe quer über die Stirn. Sie leuchtet, wenn er mich anschaut. Was möchte er hören? Pornographie? Sicher werden Ehescheidungen mit der Zeit langweilig. Pikante Geschichten, die man dann in der Gerichtskantine erzählen kann, sind erwünscht. Ob ich also den Geschlechtsverkehr mit der Person entgegengesetzten Geschlechts, die mit mir nicht verheiratet ist, vollzogen habe. Ja. Wie oft? Einmal genügt, denke ich. Aber so einfach ist das nicht. Wenn Rolf nämlich nachher ebenfalls mit einer Person des entgegengesetzten Geschlechts den Geschlechtsverkehr vollzogen hat, dann gilt mein einmaliger Ehebruch nicht mehr. Und es gibt keine Schuld. Dann werden wir nicht geschieden. Ich habe also mehrere Male verkehrt. Warum? Sie unartiges Kind, erzählen Sie doch genauer, sehen Sie nicht, daß ich alles wissen muß, um Sie ordentlich scheiden zu können? Ich gebe doch alles zu, aber ich erzähle keine Details. Außerdem habe ich nicht mitgezählt und führe darüber nicht Buch, weil ich schlampig bin, mein Mann wird Ihnen das bestätigen.

Rolf ist sehr blaß. Gereift. Wie am Hochzeitstag. Sag ihm doch, er soll mich in Ruhe lassen! Aber Rolf bewahrt immer Haltung vor fremden Leuten. Später wird er die Geschichte seiner Ehe in verschiedenen Versionen erzählen. Immer das, was die jeweilige Frau gerade hören will. Bis er die Richtige gefunden hat. Die, die das am liebsten hört, was er am liebsten erzählt.

Ich habe also mit Albert geschlafen, sooft ich wollte. Das heißt, sooft er konnte. Zeit hatte, meine ich. Beklagte Partei wird übermütig. Die Narbe leuchtet. Beklagte Partei ist sichtlich unreif gewesen für die Ehe und daher auch für eine anständige Scheidung. Paragraph siebenundvierzig besagt, daß ein Ehegatte die Scheidung begehren kann, wenn der andere die Ehe gebrochen hat. Absatz zwei besagt, daß dieser eine Ehegatte kein Recht auf Scheidung hat, wenn er dem Ehebruch zugestimmt oder ihn durch sein Verhalten absichtlich ermöglicht oder erleichtert hat. Paragraph zweiundfünfzig besagt, daß ein Ehegatte Scheidung begehren kann, wenn der andere an einer schweren ansteckenden oder ekelerregenden Krankheit leidet und ihre Heilung nicht in absehbarer Zeit erwartet werden kann. Schöne Paragraphen sind das! Rolf und der Richter tauschen Blicke: Beklagte Partei zieht die Angelegenheit ins Lächerliche. Der Richter will wissen, ob Rolf im Bett von mir unanständige Sachen verlangt hat, so daß ich mich deshalb weigerte, mit ihm den Geschlechtsverkehr zu vollziehen, wie es in der Klageschrift steht. Ja, einmal hat er in einem Wutanfall das verlangt, was er sonst nur im Liebesanfall wollte.

Was hat er verlangt? Rolf macht ein Gesicht, als könne er sich nicht erinnern. Was hat er verlangt? Der

Richter wird neugierig, und es geht ihn doch nichts an. Der Richter diktiert seine magere Ausbeute dem Mädchen, das hinter der Schreibmaschine sitzt. Die Männer können alle nicht tippen. Und bilden sich noch etwas darauf ein. Buch wird zugeklappt. Fertig. Der Richter wallt hinaus. Hat sich eigens verkleidet für uns. Draußen steht schon das nächste Paar.

Wie viele gemeinsame Autofahrten. Wie oft hat er seine Hand auf mein Knie gelegt und ich meine Hand auf seinen Hals. Man könnte die Dauer dieser Ehe in Kilometern ablesen. Er hat das Auto kurz vor der Hochzeitsreise gekauft. Der Motor läuft gut, weil er weiß, daß ich nie wieder am Steuer sitzen werde. Nie wieder werde ich Hand an das Auto legen. Nie wieder Hand auf Rolfs Hals. Er hat gerade meine Hand weggenommen, vorsichtig, mit gespreizten Fingern. Endgültig. Meine Hände im Schoß. Was fange ich jetzt an? Ich sitze fraulich. Obwohl ich jetzt wieder nicht dazugehöre. Seine Hände am Steuer. Da gehört immer alles zusammen, wo Rolf seine Hände hat. Blinken, Gang einlegen, Scheibenwischer einschalten, Scheibenwaschanlage betätigen, und er denkt, daß er bei der nächsten Tankstelle das Wasser nachfüllen lassen wird. Früher hat er solche Gedanken laut ausgesprochen. Ich bekam oft Aufträge, wenn Rolf an einer Tankstelle etwas anderes zu tun hatte. Durfte sagen: Voll. Super. Manchmal auch: Schauen Sie bitte das Öl nach. Da hatte ich immer Angst, der Tankwart würde sich weigern, Aufträge eines Papageis entgegenzunehmen. Aber er zeigte mir den Ölstab, und ich nickte. Ich nickte immer. Ich möchte gern meine Hand auf Rolfs Hals legen, weil ich dafür dankbar bin, daß er mich im Auto mitfahren läßt. Als wir aus dem Linzer Landesgericht gingen, dachte ich: jetzt fährt er mich zum Autobusbahnhof. Er fährt langsamer als sonst. Wahrscheinlich, weil er auf fremde Fahrgäste immer Rücksicht nimmt. Er flucht nicht, weil er mir seine Flüche jetzt nicht mehr zumutet. Wer wird seinen Hemdkragen bügeln? Er sucht selbst etwas im Handschuhfach, geschickt. Er kann es also: zieht sich die fingerlosen Handschuhe an, ohne mich zu bitten, einen Augenblick das Lenkrad zu halten. Das hat sich aufgehört. Er ist jetzt Alleinperson. Er wird eine heiraten, die sagt: Noch drei Kilometer, dann biegen wir ab nach Brescia. Sie wird Autokarten lesen können. Eine Frau wird er finden, die gleiche Interessen hat. Eine, der man nicht erklären muß, was ein Elfmeter ist. Strafe? Belohnung? Eine Strafe, sagte Rolf. Aber doch beides, je nachdem, zu welcher Mannschaft man hält. Corner, Out, Schlußpfiff. Was ist ein Sieg nach Punkten? Tut es dem Boxer weh? Die nächste Frau wird das alles wissen. Sie wird seine Ideen zu ihren machen und alles zusammen veredeln. Sie wird so sparsam sein, daß es ihm eines Tages auf die Nerven geht. Das wünsche ich ihm, bei aller Liebe. Denn ich liebe ihn wieder, seit wir geschieden sind. Ich möchte, daß er stehenbleibt und mich küßt, daß wir hier im Auto, weil ich ihn liebe, und seinen armen Rücken will ich streicheln, weil ich ihn liebe, weil ich nicht mehr muß, weil ich nicht ihn gehaßt habe, sondern das, was sie aus ihm gemacht haben, diese Leute, die unter meinem zitronengelben Kleid litten, wo Rolf doch früher ins Weihwasser spuckte und manchmal frech war in der Schule, den liebe ich doch wirklich, der mich so klitschnaß geküßt hat, weil es auch sein erster Kuß war, den möchte ich wiederfinden, den er vergraben hat, diesen Rolf, aber er hat ihn so gut versteckt. Meine Mutter versteckt auch manche Sachen so gut, daß sie sie nachher nicht findet, und dann sagt sie einfach, sie hat sie verloren.

Rolfs Mutter wird bei Rolf einziehen, weil es viel zu putzen und in Ordnung zu bringen gibt. Sie hat meine Bücher aus den Regalen geholt, meine Kochwerkzeuge von den Kochwerkzeugen getrennt, die sie selbst ihrem Sohn in die Ehe mitgegeben hat, sie hat die Geschirrtücher, die Mutter mir kaufte, von den Geschirrtüchern, die sie gekauft hat, ebenfalls getrennt. Im Schlafzimmer sind die Vorhänge weg, die anderen hängen jetzt dort, die Vorhänge, denen Mutter mit ihren Vorhängen zuvorgekommen ist. Warum ist sie so böse auf mich? Rolf sagt, weil seine Mutter ihn liebt und es nicht ertragen kann, wenn ihrem Sohn Unrecht geschieht. Ich bin jetzt bei meinen Eltern zu Besuch. Sie haben mir mein altes Zimmer geliehen, und in einigen Wochen werde ich etwas arbeiten. Etwas Weibliches, aber doch etwas, wofür meine Eltern sich nicht schämen müssen. Großmutter weint, als sie Rolf hinter der Glastür stehen sieht. Er weiß nicht, ob er sie noch duzen soll. Sie weiß es auch nicht. Er bringt ein kleines Paket und entschuldigt sich, daß er es erst heute bringt. Es ist erst jetzt in der Putzerei wieder aufgetaucht. Was denn? Dein Nachthemd. Ich will mein Nachthemd nicht zurückhaben. So gut arbeitet keine Putzerei, daß ich dieses Hemd noch einmal tragen könnte. Zum Ersten, zum Zweiten, zum Dritten, wer will das Nachthemd. Er hält es in der Hand wie ein Stück tote Haut.

Unser Kind, schrieb Mutter auf die Albumpappe. Auf der ersten Fotografie ein lachendes Baby, darunter mein Taufname mit Rufzeichen. Und ein lachendes kleines Mädchen, ich erinnere mich an eine Stimme, die mir versprach: Wenn du lachst, bekommst du ein Eis. An das Eis erinnere ich mich nicht. Vielleicht war es nur ein Trick. Die Sonne blendet mich, wenn ich in dem Wasserschaff sitze, und ich friere, weil immer wieder Wolken zwischen Sonne und Balkon herumfliegen. Mutter schreibt, daß die Badewanne im Juni etwas Herrliches ist. Ein Bündel durchhängender Windeln, darin steckt ein Kind, und Mutter hat geschrieben, daß diese Überraschung für Papa einmalig gelungen ist. Dann beginnt das Mädchen mir ähnlich zu sehen. Geweihte Kerze, weiße Hängetasche, weißes Kleid. Die Erstkommunion. Ich weiß noch, wie unangenehm die Oblaten am Gaumen klebten. Man durfte sie nicht beißen, da steckte ja der Liebe Jesus drin, also rollte ich sie vorsichtig mit der Zunge ab. Auch hatte ich nicht alles gebeichtet, und meine Seele war schwarz, ich war die einzige Erstkommunikantin der Welt, die nicht alles gebeichtet hatte. Ich fürchtete Gott, während alle anderen Kinder ihn liebten. Mutter schämte sich, wenn ich im Kinderwagen schrie. Das Wort Langeweile konnte ich noch nicht aussprechen, weil ich es nicht kannte, und sie begriff nicht, daß es mich langweilte, im Kinderwagen zu sitzen. Sie malten mein Gesicht mit Eidotter an und steckten Stricknadeln mit Holzkugeln in meine neue Frisur. Wie lustig war dieser Kinderball, schreibt Mutter im Album. Dieses Foto kommt morgen in die Zeitung, sagte Vater, und ich stellte mich rasch neben ihn, Füße zusammen, stillhalten neben Vater, aufgeregt und beschämt über so viel Glück. Mit Vater, und in die Zeitung! Aber er wollte nur, daß ich mich ohne Widerspruch fotografieren ließ, und das Bild klebt im Album. Alles Trick.

280 Seiten, gebunden

In provokanten Aufsätzen zur Kultur und Gesellschaft bezieht die bedeutende deutsche Roman-
autorin Gisela Elsner eine klare Stellung zu kriti-
schen Fragen unserer Zeit. Gefahrensphären sind
für sie vor allem Bewußtseinsmanipulationen und
Realitätsverdrängungen, die zu persönlicher und
politischer Selbstaufgabe des Menschen führen.

PAUL ZSOLNAY VERLAG

ro
ro
ro

C 1036/4

Gudrun Pausewang

ro
ro
ro

C 2189/2

Hannah Green

C 2062/7

Literatur für Kopf Hörer

Erika Pluhar liest Simone de Beauvoir
Eine gebrochene Frau
2 Tonbandcassetten im Schuber
(66012)

Bruno Ganz liest Albert Camus
Der Fall
Deutsch von Guido Meister.
3 Tonbandcassetten im Schuber
(66000)

Elisabeth Trissenaar liest
Louise Erdrich
Liebeszauber
2 Tonbandcassetten im Schuber
(66013)

Erika Pluhar liest Elfriede Jelinek
Oh Wildnis, oh Schutz vor ihr
Keine Geschichte zum Erzählen
1 Tonbandcassette im Schuber
(66002)

Hans Michael Rehberg liest
Henry Miller
Lachen, Liebe, Nächte
Astrologisches Frikassee
2 Tonbandcassetten im Schuber
(66010)

Produziert von Bernd Liebner
Eine Auswahl
Rowohlt Cassetten
C 2321/3